Detektivgeschichten

Detektivgeschichten

Herausgegeben von Kitty Heeman

Loewe

Die Deutsche Bibliothek – CIP-Einheitsaufnahme

Detektivgeschichten / hrsg. von Kitty Heeman
1. Aufl. – Bindlach : Loewe, 1995
ISBN 3-7855-2734-9

ISBN 3-7855-2734-9 – 1. Auflage 1995

Umschlagillustration: Charlotte Panowsky
Umschlaggestaltung: Karin Roder
Satz: Fotosatz Knab, Lintach
Gesamtherstellung:
Graphischer Großbetrieb Pößneck
Printed in Germany

Inhalt

Vorwort

Habt ihr gute Nerven? Die werdet ihr brauchen, wenn sich, wie in diesem Buch, Gauner, Gangster und Ganoven ein Stelldichein geben.

Doch keine Angst. Es gibt sie heute ebenso wie schon vor hundert Jahren: die klugen Detektive, die mit messerscharfer Logik und verblüffender Intuition jedes noch so raffiniert eingefädelte Verbrechen aufdecken.

Wer kennt ihn nicht, Arthur Conan Doyles Sherlock Holmes, der mit seinem Freund Dr. Watson die kompliziertesten Kriminalfälle löst. Sein bemerkenswertes Gedächtnis und seine manchmal etwas ungewöhnlichen Spezialkenntnisse führen ihn immer wieder auf die richtige Spur.

Agatha Christies Miss Marple ist auch jedem ein Begriff. Die etwas schrullige alte Dame löst mit ihrem gesunden Menschenverstand und ihrer ausgezeichneten Beobachtungsgabe auch die Verbrechen, bei denen die Polizei völlig im dunkeln tappt.

Und natürlich nicht zu vergessen: Gilbert Keith Chestertons Pater Brown, Charles Dickens' Inspektor Field oder Edgar Allan Poes Detektiv August Dupin, die mit ihrem messerscharfen Verstand jeden Kriminalfall lösen. Viele berühmte Schriftsteller haben Detektivfiguren erfunden, die heute jeder kennt.

Fünfzehn der schönsten und spannendsten Detektivgeschichten warten in diesem Buch darauf, von euch verschlungen zu werden. Und selbstverständlich seid ihr jederzeit eingeladen mitzudenken. Vielleicht kommt ihr ja selbst viel eher auf die richtige Spur als Sherlock Holmes und seine Kollegen.

Kitty Heeman

Im Rollstuhl nach Bangkok

– Notizen eines Reisebegleiters –

Treffpunkt Nationaltheater

Es ist 20 Uhr 50, als Bernd Feldhoff die Maximilianstraße erreicht. Er hat genau noch 10 Minuten Zeit, um einen Parkplatz zu finden und zum Nationaltheater zu kommen. Und er hat Glück. Hinter dem Fernmeldeamt findet er eine Lücke, in die sein ramponierter Volvo gerade noch hineinpaßt.

„Kommen Sie am Dienstag um 21 Uhr zum Nationaltheater. Ich werde Sie an der Säule rechts erwarten." So hatte der geheimnisvolle Mann am Telefon bestimmt, nachdem er auf die Chiffre-Anzeige mit einem Brief geantwortet hatte, in dem weiter nichts stand als eine Münchner Telefonnummer.

Bernd Feldhoff sieht auf seine Uhr, als er die dreizehn Stufen des Nationaltheaters hinaufgeht, und wirft einen mißtrauischen Blick auf die äußerste rechte der acht Säulen. „Pünktlich ist er jedenfalls nicht", stellt er halblaut fest, denn in diesem Augenblick schlägt es 21 Uhr. Außer ein paar sehr jungen Mädchen und zwei älteren Herren kann er niemanden entdecken, der den Eindruck eines Wartenden macht. Kein Wunder, wenn man daran denkt, daß die Vorstellung in den heiligen Hallen bereits vor über einer Stunde begonnen hat. Lortzings „Zar und Zimmermann" steht auf dem Programm.

Ich werde genau zehn Minuten warten, setzt sich

Feldhoff selbst ein Zeitlimit. Er lehnt sich an die Säule und zündet sich eine Zigarette an.

„Guten Abend! Ich nehme an, daß ich das Vergnügen mit Herrn Feldhoff habe?!" ertönt es da neben ihm.

Außer der Überzeugung, daß der Mann vom Himmel gefallen sein muß, weiß Bernd im gleichen Augenblick, daß er es mit einem Engländer zu tun hat. Der Mann ist äußerst elegant gekleidet und trägt trotz des kühlen Aprilabends seinen Mantel über dem Arm, dazu Stockschirm und Melone. Ein typischer Inselbrite, überlegt Feldhoff; wenn er auch noch Charme hat, könnte er direkt der Erfinder einer Fernsehserie sein.

„Ja", nickte er, „mein Name ist Feldhoff. Ich bin sicher, daß nicht Sie es waren, mit dem ich telefoniert habe, stimmt's?"

Der Engländer fördert ein sehr reserviertes Lächeln zutage. „Stimmt! Wir haben noch nicht zusammen telefoniert. Sie scheinen ein gutes Gehör zu haben ..."

„Ja, Sir! Ich erkenne einen Briten auf Anhieb. Und der Mann, der mich zu diesem Rendezvous bestellt hat, war keiner."

Wieder das gleiche zurückhaltende Lächeln. Zum ersten Mal sieht Feldhoff jetzt auch die gezackte Narbe im Gesicht des anderen. Sie zieht sich vom linken Ohr bis zum Mund hinunter.

„Mein Name ist Rockley, Herr Feldhoff. Darf ich einen Vorschlag machen?"

„Bitte ...“

„Wir nehmen uns ein Taxi und fahren ein wenig durch München. Dabei kann ich Ihnen erzählen, um welches Angebot es sich handelt. Sind Sie einverstanden?“

Bernd Feldhoff schnipst seine Zigarette weg und erwidert: „Einverstanden. Dort drüben ist ein Taxi-Standplatz. Suchen wir uns eine Prunkkarosse aus ...“

Mister Rockley hat sich bequem zurückgelehnt und zieht mit sichtlichem Behagen an einer Virginia. Auch Bernd Feldhoff versucht sich zu entspannen. Aber es will ihm einfach nicht gelingen, eine gewisse Erregung abzuschütteln.

„Also, um was geht es, Mister Rockley?“ erkundigt er sich und kann es nicht verhindern, daß etwas von dieser Erregung in seiner Stimme mitschwingt.

Rockley streift ihn mit einem kurzen, forschenden Blick. „Woher stammen eigentlich Ihre Kenntnisse in allen Reisefragen?“

Bernd ist für einen Moment lang verblüfft, dann antwortet er leicht ironisch: „Ich habe seit längerer Zeit Reisebüroerfahrung. Genügt Ihnen das?“

„Genügt! Drei Dinge in Ihrer Anzeige haben uns dazu veranlaßt, mit Ihnen Kontakt aufzunehmen.“

„Uns??“

„Ja, uns, die Firma Rockley und Rockley. Wir sind ein Anwaltsbüro.“

„Und um welche drei Dinge handelt es sich dabei?“

„Es sind Ihre Sprachkenntnisse, Ihre Abenteuerlust und – Ihre Anpassungsfähigkeit."

Feldhoff muß unwillkürlich grinsen. „Eine hübsche Mischung. Ich bin gespannt, für welche Art von Reisebegleitung sie die Voraussetzung ist."

„Waren Sie schon einmal in Asien?"

„Nur in Vorderasien ..."

„Wären Sie bereit, für ein angemessenes Honorar einen gebrechlichen Mann nach Bangkok zu begleiten?"

„Sagten Sie eben Bangkok?"

„Ja ... Wir würden Ihnen, außer allen Spesen selbstverständlich, eintausend Dollar zahlen ..."

Bernd Feldhoff schließt für einen Augenblick die Augen, um das heillose Gedankendurcheinander zu ordnen ... Nach Bangkok für eintausend Dollar ...

„Könnten Sie, was die Gegenleistung anbetrifft, ein bißchen deutlicher werden, Mister Rockley?"

„Ich sagte es bereits", erwidert der Engländer, ohne die Stimme zu heben. „Sie sollen einen gebrechlichen Mann von Zürich nach Bangkok begleiten. Der Mann ist Schweizer, sitzt in einem Rollstuhl und kann nicht sprechen ... Sie würden mit ihm in Zürich eine Linienmaschine besteigen und ihn in Bangkok in einem Hotel absetzen. Damit wäre der Auftrag erledigt."

Bernd Feldhoffs Augen saugen sich an dem Gesicht seines Begleiters fest, als könne er so das Unausgesprochene erfahren. „Und dafür wollen Sie dann eintausend Dollar bezahlen?"

Rockley nickt, stößt gelassen einige Rauchkringel aus und bestätigt ungerührt: „So ist es, Herr Feldhoff. Genau dafür sind wir bereit, eintausend Dollar zu zahlen!"

„Zusammen mit meinem Flugpreis wären das schon zweitausend Dollar. Wenn ich mir vorstelle, daß Sie den Mann im Rollstuhl genausogut einer Stewardeß anvertrauen und damit zweitausend Dollar sparen könnten, drängt sich mir unwillkürlich der Verdacht auf, daß an der Sache etwas faul ist."

Um Rockleys Lippen spielt wieder das kalte Lächeln von vorhin. Trotzdem behält seine Stimme den gleichen freundlich-verbindlichen Tonfall: „Wir bezahlen Ihnen die Reisebegleitung, Herr Feldhoff, nicht aber unnütze Fragen. Wenn Sie glauben, daß wir von Ihnen etwas Ungesetzliches verlangen, so sagen Sie nein, und wir verabschieden uns ..."

Feldhoff kann nicht umhin, seinen Gesprächspartner zu bewundern. Anscheinend ist Rockley, wenn dieser Name überhaupt stimmt, durch nichts aus seiner stoischen Ruhe zu bringen ...

„Angenommen, Mister Rockley, ich wäre interessiert, bis wann müßte ich mich entscheiden?"

„Da Sie für Thailand ein Visum benötigen und auch noch einige Impfungen über sich ergehen lassen müßten, wäre morgen mittag 12 Uhr der letzte Termin."

„Und wie erreiche ich Sie?"

„Mein Sekretär wird Sie Punkt 12 Uhr anrufen, Herr Feldhoff. Für den Fall, daß Sie sich in unserem

Sinne positiv entscheiden, geht Ihnen im Laufe des morgigen Nachmittags ein Umschlag zu. Er enthält außer den genauen Instruktionen Ihre Spesen und die vereinbarten eintausend Dollar."

„An dieser Stelle Beifall, Mister Rockley", grinst Feldhoff. „Das ist wie in einem hübschen Kriminalstückchen. Dabei wollte ich nur ein bißchen Reisebegleitung spielen."

„Ich gebe Ihnen mein Wort, daß auch nicht mehr von Ihnen verlangt wird."

Noch bevor Feldhoff etwas darauf erwidern kann, wendet sich Rockley mit lauter Stimme an den Fahrer: „Nach Bogenhausen, bitte!"

„Sie wissen doch gar nicht, ob ich noch etwas vorhabe!"

„Es wird gut sein, Herr Feldhoff, wenn Sie lange genug über unser Angebot nachdenken ..."

Der Mann im Rollstuhl

Bernd Feldhoffs Gedanken kehren noch einmal zu den Ereignissen der letzten Tage zurück ... Zu dem Telefongespräch am Mittwoch um 12 Uhr mittags ... Zu seinem Besuch bei Doktor Schwarze, der ihn gegen Pocken und Cholera impfte, und er sieht sich am Schalter der Bankfiliale eintausend Dollar auf sein Konto einzahlen ...

Erst gestern erhielt er von der Thailändischen Botschaft in Bad Godesberg seinen Paß mit Visum zurück. Und heute ...?

Heute ist Dienstag, und wohl zum zwanzigsten Mal

an diesem Dienstag zieht er den maschinengeschriebenen Zettel aus der Brieftasche und liest:

Nehmen Sie am Dienstag die Frühmaschine nach Zürich. Am Schalter der TWA wird für Sie ein bezahltes Ticket Zürich–Bangkok–Zürich bereitliegen. Warten Sie dann vor dem Informationsschalter auf den Mann im Rollstuhl. Er heißt Franz Gruber und wird Ihnen von einer Schwester des Roten Kreuzes übergeben. Herr Gruber wird den Rollstuhl mit Hilfe von Krücken und Ihrer Unterstützung verlassen, um seinen Platz in der Maschine einzunehmen. Sorgen Sie dafür, daß der Rollstuhl ordnungsgemäß im Frachtraum verstaut wird.

Ihre Maschine startet 10 Uhr 15 und wird um 9 Uhr 30 auf dem Flughafen von Bangkok „Don Muang" landen. Sie und Gruber fahren mit dem Omnibus in die Stadt. Im Hotel „Thai" in der Prajathipatai Road sind zwei Einzelzimmer für Sie reserviert. Sobald Sie Mister Gruber in sein Zimmer gebracht haben, brauchen Sie sich nicht mehr um ihn zu kümmern.

Ihr Zimmer ist für drei Tage gebucht und bezahlt. Sollten Sie länger bleiben wollen, so geht das zu Ihren Lasten.

P. u. S. Rockley.

Nachdenklich läßt Bernd Feldhoff das Blatt sinken. War das hier das große Abenteuer? Wer aber ist dieser Franz Gruber ... und warum hat das ganze Unternehmen einen so geheimnisvollen Anstrich?

Noch bevor er über irgendwelche Antworten nachdenken kann, umfängt ihn ein Hauch von „Madame Rochas“, und eine dunkle, warme Stimme bittet freundlich: „Ich glaube, Sie haben unsere Durchsage überhört, mein Herr. Würden Sie sich jetzt bitte anschnallen, wir landen in wenigen Minuten in Zürich.“

Bernd nickt, um Entschuldigung bittend: „Ich werde es sofort nachholen.“

Vier Minuten später setzt die Maschine in Zürich-Kloten auf.

9 Uhr 30
Der erste Punkt der sogenannten Instruktionen hat sich bewahrheitet: Das Ticket liegt ordnungsgemäß am TWA-Schalter bereit.

Feldhoff schlendert langsam zum Informationsschalter hinüber. Noch ist nichts von einem Rollstuhl zu sehen ... Er läßt seine Reisetasche zu Boden gleiten und lehnt sich an eine Tafel, auf der mit großen Buchstaben versprochen wird, daß es nichts Aufregenderes gibt als einen Flug über den Pol.

Doch dann stutzt Bernd Feldhoff ... Und er begreift, daß auch Punkt 2 von Rockleys Instruktionen abgehakt werden kann.

Eine mächtige Person in Schwesterntracht schiebt einen Rollstuhl vor sich her, als handle es sich um einen Paketkarren. Unter der Schwesternhaube ist ein grobes, gelblich-blasses Gesicht zu erkennen. Feldhoff fröstelt unwillkürlich bei dem Gedanken an einen defekten Blinddarm. Jetzt scheint ihn die weiße Riesin entdeckt zu haben. Während ihre Augen auf ihm klebenbleiben, quält er sich ein erkennendes Lächeln ab.

„Herr Feldhoff?“ Ihre Stimme gleicht Auspuffgeräuschen.

Bernd nickt und streckt ihr die Hand entgegen. „Der bin ich, Schwester!“

Ein feuchtes, schwammiges Etwas rutscht ohne jeglichen Gegendruck in seine Finger, während die Auspuffstimme bellt: „Das ist Herr Gruber. Die Formalitäten sind erledigt!“ Die Riesin zeigt auf Herrn Gruber: „Die Bordkarte hat er schon. Leider kann er nicht sprechen!“ Und als bereite ihr diese Tatsache sichtliches Vergnügen, zeigt sie eine Reihe gelber Zähne. „Es trifft eben immer die Falschen.“

Bernd Feldhoff hält nun auch dem Mann im Rollstuhl die Hand hin und ist erstaunt, wie kraftvoll der Gelähmte sie ergreift. Gruber ist ungefähr fünfzig Jahre. Alles an ihm ist schmal, der Kopf, die Schultern und – die Hände. Es könnten sogar die Hände eines Klavierspielers sein, fährt es Feldhoff durch den Kopf.

„Wenn Sie auch nicht sprechen können, so können Sie mich doch sicher verstehen, Herr Gruber?“

Der Mann im Rollstuhl nickt heftig und bewegt für den Bruchteil einer Sekunde die Lippen.

„Na fein“, fährt Feldhoff freundlich fort, „dann kann ich Ihnen wenigstens etwas erzählen ... Was ist mit Ihrem Gepäck? Ist das schon abgefertigt?“

Wieder ein lebhaftes Nicken.

„Dann, würde ich sagen, bewegen wir uns doch mal langsam in Richtung Abflughalle ...

... Schwester, ich kann ..." Feldhoff verstummt und sieht sich suchend um. Achselzuckend muß er feststellen, daß sich das „kräftige Mädchen" anscheinend in Luft aufgelöst hat. „Haben Sie gesehen, wohin unser Dornröschen verschwunden ist, Herr Gruber?"

Kopfschütteln.

„Ist das eigentlich Ihre ständige Krankenhilfe?"

Diesmal wird das Kopfschütteln von einem wilden Augenrollen begleitet, und es fällt Feldhoff nicht schwer, den Ausdruck größter Abneigung richtig zu deuten. Er lächelt dem Mann im Rollstuhl verschwörerisch zu und sagt: „Okay, dann wollen wir beide mal froh sein, daß wir sie los sind."

In diesem Augenblick hallt die Aufforderung für die Fluggäste der TWA, gebucht nach Bangkok, durch die Halle. Laut, scheppernd und kaum verständlich ... wie auf allen Flughäfen der Welt.

Herr Feldhoff packt mit der Linken seine Reisetasche, während er mit der Rechten den Rollstuhl vor sich herschiebt.

Schach zwischen Athen und Tel Aviv

Pünktlich auf die Minute, genau um 10 Uhr 15, ist die Boeing 707 in Zürich gestartet, und ebenso pünktlich setzt sie um 13 Uhr 35 auf der Landebahn des Flughafens in Athen auf.

Feldhoff ist froh, daß die Besatzung ein Einsehen mit Gruber hat und er während des einstündigen Aufenthaltes in der Maschine bleiben darf. Er selbst jedoch muß mit den übrigen Passagieren zusammen im Warteraum Platz nehmen.

Als er kurz vor dem Weiterflug nach Tel Aviv auf seinen Sitz zurückkehrt, ist Gruber eingeschlafen. So findet Feldhoff Muße, den kleinen Mann neben sich ein wenig näher in Augenschein zu nehmen.

Nachdenklich mustert er das schmale, sympathische Gesicht, das von einem vollen, grauen Haarschopf eingerahmt wird. Er betrachtet die schmalen, nervigen Hände ...

Was mag dieser Franz Gruber beruflich tun, was mag ihn mit jenem Mister Rockley verbinden? Welche Gemeinsamkeiten haben diese beiden so grundverschiedenen Menschen?

Gruber blinzelt und schlägt die Augen auf. Einen Augenblick lang kreuzen sich die Blicke der beiden, und Feldhoff glaubt, im Blick des anderen einen ängstlichen Ausdruck zu entdecken ...

Oder sollte er sich getäuscht haben?

„Gut geschlafen?"

Gruber nickt.

Feldhoff hält ihm die heutige Ausgabe der „Basler Nationalzeitung" entgegen. „Möchten Sie ein bißchen lesen?"

Gruber macht eine verneinende Handbewegung und klopft sich anschließend vor die Brust. Auf seinen Lippen erscheint ein bittendes Lächeln, während seine Hand in die Jackentasche gleitet. Als sie wieder zum Vorschein kommt, hält er ein schmales hölzernes Kästchen umfaßt ... Es ist ein Steckschach ...

„Einverstanden!" freut sich Bernd Feldhoff. „Ich bin zwar kein überragender, dafür aber ein um so leidenschaftlicherer Schachspieler. Wenn Sie nichts dagegen haben, Herr Gruber, hätte ich gern Weiß zur ersten Partie!"

Der Gelähmte senkt zustimmend den Kopf.

Als gegen 16 Uhr die Vorbereitungen für die Landung in Tel Aviv getroffen werden, hat Feldhoff gerade die dritte Partie verloren. Doch er ist ein guter Verlierer, und fröhlich grinsend erklärt er: „Das reicht, Herr Gruber. Ich glaube, daß ich die Zeit bis Bombay brauche, um mein seelisches Gleichgewicht wiederzufinden. So deutlich habe ich seit langem nicht mehr verloren ..."

Bombay liegt schon hinter ihnen. Ebenso der Zeitsprung von sieben Stunden, der ihnen die Nacht geraubt hat.

Trotzdem hat Bernd Feldhoff inzwischen auch vier Stunden tiefen, erfrischenden Schlaf genossen.

Es ist jetzt 8 Uhr 30.

Eine Stunde noch bis zur Landung in Bangkok.

Feldhoff ist entschlossen, in diesen letzten Minuten noch etwas über den Draht Gruber – Rockley in Erfahrung zu bringen. Bisher hat der Schweizer alle Versuche in dieser Richtung dadurch ignoriert, daß er die Augen schloß und den Schlafenden spielte.

„Noch eine knappe Stunde, dann haben wir es geschafft. Kommen Sie eigentlich das erste Mal nach Bangkok?“ Feldhoff hat die Frage schon mehrere Male gestellt, ohne jedoch eine Antwort zu erhalten. Diesmal zuckt Gruber halb ungeduldig, halb gequält mit den Schultern.

„Werden Sie längere Zeit in Thailand bleiben?“

Nichts.

„Ich halte Sie für einen Ehrenmann, Herr Gruber ...

Deshalb kann ich mir schwer vorstellen, daß Sie mit Mister Rockley gemeinsame Geschäfte machen ...“

Bernd Feldhoff hält unwillkürlich den Atem an, weil er einen zornigen Ausbruch erwartet. Doch nichts geschieht. Gruber läßt keine Reaktion erkennen.

Da beugt sich Feldhoff dicht zu ihm hinüber und flüstert ihm zu: „Befinden Sie sich vielleicht gar in einer gefährlichen Situation?“

Diesmal scheint Feldhoff ins Schwarze getroffen zu haben. Grubers Gesichtsfarbe wechselt plötzlich in ein kalkiges Grau, während seine Augen ängstlich flackern.

„Kann ich Ihnen helfen??“

Gruber schüttelt verzweifelt den Kopf. Doch dann ereignet sich etwas, das Feldhoff noch mehr Rätsel aufgibt. Der schmächtige Mann neben ihm legt zuerst den Finger senkrecht über die Lippen und deutet anschließend mit dem abgespreizten Daumen nach hinten. Bernd Feldhoff muß sich sehr beherrschen, um nicht auf der Stelle einen Blick in die angegebene Richtung zu werfen.

Nur immer mit der Ruhe, Junge, fordert er sich selbst zur Zurückhaltung auf ... Schön tief durchatmen ... Er nickt Gruber, der ihn aus den Augenwinkeln beobachtet, aufmunternd zu ...

Spätestens in Bangkok wird er wissen, was hier gespielt wird ... Und bis dahin ist es nicht mal eine Stunde ...

Heiße Tage – unruhige Nächte

Während sich Bernd Feldhoff losschnallt und erhebt, beobachtet er unauffällig die drei Personen, die in der Reihe hinter ihm sitzen. Ein Inder, ein Europäer und eine Chinesin älteren Datums. Keiner von ihnen schenkt ihm die geringste Beachtung. Trotzdem tippt er auf den Europäer, einen hageren, hochaufgeschossenen Mann mit ausgemergelten Gesichtszügen. Ich werde ihn im Auge behalten, nimmt sich Feldhoff vor.

Obwohl die Regenzeit mit ihrer dumpf-feuchten Hitze erst bevorsteht, schlägt ihnen die heiße Luft wie eine Wand entgegen. Man erklärt Feldhoff, daß der Rollstuhl zusammen mit dem Gepäck entladen wird und er Gruber in einem flugplatzeigenen Stuhl zur Gepäckrampe fahren muß. Schon nach wenigen Metern kleben ihm die Kleider am Leib, und der Schweiß rinnt in dicken Bahnen über Gesicht und Körper.

Eine halbe Stunde später sind die Paß- und Zollformalitäten erledigt. Franz Gruber, dem die Hitze anscheinend weniger zusetzt, hat alles müde und teilnahmslos über sich ergehen lassen. Jetzt hält er sein Gepäck auf den Knien, und Feldhoff wundert sich, daß der Schweizer ebenfalls nur mit einer einfachen Reisetasche ausgerüstet ist. Sorgfältig studiert er die in mehreren Sprachen gehaltenen Orientierungsschilder und lehnt dabei die höflichen Hilfsangebote der Träger ab.

Sie haben die Halle fast durchquert, als Feldhoff wie vom Donner gerührt stehenbleibt ... Da wird die Ansage auch schon wiederholt: „Mister Feldhoff aus München wird zum Schalter der Information gebeten."

„Darf ich Sie einen Augenblick allein lassen?" beugt er sich fragend zu dem Schweizer vor und stellt dabei seine Reisetasche ab. Der Mann im Rollstuhl nickt.

Zweimal muß Feldhoff fragen, bis er den betreffenden Schalter findet. Eine bildschöne Bodenstewardeß blickt ihn fragend an. „Mein Name ist Feldhoff", erklärt er auf englisch, „ich wurde soeben ausgerufen!"

„Ja!" bestätigt die Schöne mit einem unvergleichlichen Lächeln. Dann sagt sie „Bitte!" und deutet zur Seite. Verdutzt wendet sich Feldhoff in die angegebene Richtung und erstarrt.

Drei Meter von ihm entfernt steht die Chinesin aus der Maschine und neigt anmutig den Kopf. Feldhoff macht zwei rasche Schritte auf sie zu. „Was wollen Sie von mir?“

Die Chinesin antwortet ihm in akzentfreiem Französisch: „Monsieur Rockley läßt Ihnen ausrichten, daß Sie sich nicht mehr um Monsieur Gruber zu kümmern brauchen. Ihr Auftrag ist erfüllt, und er wünscht Ihnen einen angenehmen Heimflug. In der Nachmittagsmaschine von morgen sind noch Plätze frei.“ Wieder das hoheitsvolle Neigen des Kopfes.

Feldhoff sieht ihr nach, bis sie im Gewühl verschwunden ist. Verdammt, Gruber! durchfährt es ihn siedendheiß ...

Es ist zu spät. Gruber und Rollstuhl sind verschwunden. Nur seine Reisetasche steht nach wie vor am gleichen Fleck ...

0 Uhr 20. Zwanzig Minuten nach Mitternacht ...

Bernd Feldhoff wälzt sich unruhig auf seinem Bett herum. Trotz Nacktheit und Klimaanlage ist seine Haut von einem feinen, feuchten Film bedeckt. Nachdenklich starrt er in das Dunkel seines Hotelzimmers, das im stereotypen Rhythmus der gegenüberliegenden Leuchtreklame erhellt wird.

Er kann es nicht verhindern, daß seine Gedanken immer wieder zu dem Mann im Rollstuhl zurückkehren. War Gruber wirklich in Gefahr gewesen? Warum hat er ihn dann nicht eingeweiht oder um Hilfe gebeten? Steckt er in einem unsauberen Geschäft? Welche Rolle spielt die Chinesin in diesem Stück? Vielleicht hätte er zur Polizei oder zur Botschaft gehen sollen ... Aber, wäre das das Richtige gewesen? Fragen über Fragen, auf die er keine Antworten findet.

Statt eines nächtlichen Bummels durch die Stadt der vierhundert Tempel und Klöster liegt er im 4. Stock des „Thai"-Hotels und zermartert sich den Kopf.

Doch dann kommt er zu einem Entschluß: Er wird nicht abreisen und auch nicht mehr an Gruber denken! Er wird sich Bangkok ansehen! Bon! Und zum neununddreißigsten Male dreht Feldhoff seinen Körper um 180 Grad.

1 Uhr nachts

Feldhoff liegt im Halbschlaf und träumt von einem Mann, der einen Nagel in die Wand schlägt. Es muß ein endloser Nagel sein, denn der Mann klopft und klopft ...

Blöder Traum, blinzelt Feldhoff erwachend ..., um im gleichen Augenblick den Atem anzuhalten. Kein Zweifel, das Klopfen gehört gar nicht in seinen Traum ...

Bernd Feldhoff richtet sich kerzengerade im Bett auf und starrt auf die Tür ... Ganz leise klopft jemand von außen an das Holz ... immer wieder ... immer wieder.

Feldhoff fährt in die Hose und knipst die Nachttischlampe an ... Was tut man nachts in einem fremden Land, wenn jemand an die Tür klopft? überlegt er ... Sollte sich der Klopfer irren und hinter der Tür ein Mädchen erwarten?

„Wer ist da?“ ruft er halblaut. Das Klopfen verstummt. „Wer ist da?“ wiederholt Feldhoff seine Frage eine Nuance lauter. Statt einer Antwort setzt das leise Klopfen aufs neue ein.

Diesmal heftiger, dringender …

Geräuschlos entriegelt er die Tür und reißt sie mit einem Ruck auf. Ein schmächtiger, kleiner Mann in einem weinroten Pyjama taumelt ins Zimmer …

Bernd Feldhoff betrachtet ihn wie eine Erscheinung …

„Gruber … Sie?“

Der Mann aus dem Rollstuhl läßt sich in den einzigen vorhandenen Korbsessel fallen und streicht sich über die Stirn, während Feldhoff einen raschen Blick auf den Korridor wirft und die Tür wieder verschließt.

„Verzeihen Sie bitte, Herr Feldhoff …“

Dieser sucht noch immer nach seiner verlorengegangenen Fassung … „Verdammt, das fällt mir aber ehrlich schwer … Sie hier … ohne Krücken und mit wiedergefundener Sprache …“

Gruber macht eine bittende und zugleich beschwichtigende Handbewegung: „Ich kann Ihnen ja alles erklären …“

„Nachts um 1 Uhr“, erwidert Feldhoff sarkastisch, obwohl er plötzlich eine gewisse Erleichterung spürt. „Eigentlich hatte ich Sie schon irgendwo in einem Totenschauhaus vermutet … Wo sind Sie denn heute morgen nach meinem Wegruf plötzlich abgeblieben?“

„Man hat mich in einen Krankenwagen gepackt ...“
„Wer ‚man‘?“
„Zwei Gelbe und der Mann mit der Narbe!“
Feldhoff springt erregt auf.
„Rockley ist in Bangkok?“ ruft er überrascht.
„Ich glaube, daß er gar nicht Rockley heißt ...“
„Immer der Reihe nach. Wohin brachte man Sie?“
„In ein Privathaus ... Lauter Gelbe waren da ...“
Feldhoff unterbricht. „Was verstehen Sie eigentlich immer unter ‚Gelben‘?“
„Asiaten ... ich kann sie nicht auseinanderhalten. Dieser Rockley hat mir gesagt, ich solle warten, also wartete ich.“
„Auf was?“
„Auf meine eintausend Dollar ... Rockley hatte sie mir in Zürich versprochen ...“
„Für welche Gegenleistung?“
„Dafür, daß ich den Gelähmten und Stummen spiele ... Zuerst dachte ich, daß Sie auch dazugehören. Aber dann fiel mir auf, daß Sie von ‚Sonnenblume‘ beobachtet wurden.“
„Sonnenblume? Meinen Sie damit den weiblichen Herkules in Schwesterntracht?“
Gruber schüttelt den Kopf. „Die ... die habe ich ja selbst erst am gleichen Tag kennengelernt ... ‚Sonnenblume‘ ist die Chinesin, die hinter uns saß. Rockley stellte sie mir vor vierzehn Tagen in Zürich vor ... Seitdem ist sie mir kaum noch von den Fersen gewichen ... Sie sehen doch ein, daß ich Ihnen da nichts sagen konnte ...“

„Ehrlich gesagt, ich verstehe kein Wort. Was sollte das ganze Theater mit dem Rollstuhl?"

Gruber zuckt hilflos mit den Schultern. „Keine Ahnung. Ich weiß nur, daß ich sicher war, noch niemals zuvor so leicht eintausend Dollar verdient zu haben ... Jetzt sind sie zum Teufel ..."

Bernd Feldhoff blickt überrascht auf. „Wieso, hat Rockley nicht bezahlt?"

„Ich habe jedenfalls nichts bekommen. Dafür hat mich der Angstschweiß um zehn Pfund leichter gemacht ... Von 10 Uhr heute vormittag bis abends um 10 Uhr habe ich auf Rockley gewartet. In einem winzigen Zimmer ohne Klimaanlage. Sobald ich die Nase aus der Tür steckte, stürzten sechs, sieben Gelbe auf mich zu und redeten grinsend auf mich ein ... Kurz nach 10 Uhr passierte es dann. Eine Menge Polizeiautos fuhren vor, und im Nu war ein Geschrei im Haus, daß man glauben konnte, sie schlachten sich selbst gegenseitig ab ... Was soll ich Ihnen sagen, Herr Feldhoff, ich bin zum ersten Mal in meinem Leben aus dem Fenster gesprungen ... Die Erinnerung daran läßt mich noch nachträglich erschauern. Und weil ich wußte, daß Sie im ‚Thai'-Hotel wohnen, ließ ich mich hierher fahren und nahm mir ein Zimmer. Dann wartete ich, bis es ganz still wurde ... Hier!" Gruber streckt seinem Gegenüber die zitternden Hände entgegen ... „Ich zittere wie Espenlaub ... Und das in meinem Beruf!"

Bernd Feldhoff muß unwillkürlich lächeln. „Was haben Sie denn für einen Beruf?"

„Ich bin Kellner in einem Café ... Aber bei eintausend Dollar ... Was ist schon dabei, habe ich mir gedacht, mal schnell in einem Rollstuhl nach Bangkok zu fliegen ...“

Resigniert rutscht Gruber in dem knisternden Korbstuhl immer mehr in sich zusammen, während Feldhoff beginnt, sich anzukleiden.

„Wollen Sie das Hotel wechseln?“ erkundigt sich Gruber ängstlich. „Ich meine ...“

„Was Sie meinen, ist im Augenblick uninteressant, lieber Herr Gruber. Ich habe nämlich einen bösen Verdacht. Gehen Sie los und ziehen Sie sich auch an. Wir müssen zur Polizei!“

Grubers Unterkiefer klappt nach unten.

„Anziehen? ... Polizei? ... mitten in der Nacht?“

„Wollen Sie warten, bis die Polizei zu Ihnen kommt? Auf! Springen Sie in Ihren Anzug!“

Inspektor Su Phong macht trotz der fortgeschrittenen Stunde einen frischen Eindruck, während der kleine Gruber total ermattet im Stuhl hängt. Auch Bernd Feldhoff, der soeben zum dritten Mal seine Aussage wiederholt hat und sie gerade unterschreibt, zeigt Ermüdungserscheinungen.

„Wollen Sie uns jetzt nicht erklären, Inspektor, was es mit dieser Rollstuhlgeschichte auf sich hat? Sie wissen doch mehr als wir!“

Noch bevor der Gefragte antworten kann, öffnet sich die Tür, und ein Polizist reicht ihm einen DIN-A4-Umschlag.

Su Phong, nach wie vor die personifizierte Höflichkeit, zieht mehrere großformatige Bilder aus dem Umschlag und hält sie Feldhoff entgegen. Dieser springt schon nach dem ersten Hinsehen auf, deutet auf ein Foto und ruft: „Das ist er, Inspektor, das ist Rockley!"

Su Phongs Lächeln verstärkt sich, während er die Bilder auf den Tisch wirft. „Das ist ‚The Golden Lord', so heißt er in den Akten von Interpol. Wie er sich Ihnen vorgestellt hat, Sir, ist nur von statistischem Wert. Sein wirklicher Name ist nicht bekannt ... noch nicht! Er zählt zu den größten Goldschmugglern auf diesem überaus schönen Planeten ... und zu den höflichsten!"

„Ich nehme an, daß Sie ihn nicht erwischt haben!" Feldhoff stellt es mehr fest, als daß er fragt.

„Ihn nicht, Sir, nur einige unwichtige Diener – und den Rollstuhl!"

„Den Rollstuhl?" rufen Gruber und Feldhoff gleichzeitig.

„Ja. Er wog 32,5 Kilogramm. 25 Kilogramm davon dürften reines Gold sein ...! Ich danke Ihnen für Ihre Bereitschaft, auszusagen ... Mein Wagen wird Sie ins Hotel zurückbringen."

Franz Gruber beginnt ganz plötzlich leise zu kichern.

„Fünfundzwanzig Kilo Gold ... ich saß auf fünfundzwanzig Kilo Gold ... mit meinem kleinen ... fünfundzwanzig ..."

Bitte anschnallen

„Meine Damen und Herren! Wir befinden uns im Anflug auf Zürich und bitten Sie, sich jetzt wieder anzuschnallen und das Rauchen einzustellen. Kapitän Tiermann und seine Crew möchten sich von Ihnen verabschieden. Wir hoffen, daß Ihnen der Flug mit uns gefallen hat. Auf Wiedersehen!"

Franz Gruber klappt das kleine Kästchen wieder zu und stößt Feldhoff sanft in die Seite. „Nach einem Tag der Angst und drei Tagen thailändischen Vergnügens macht sich dieses 4:0 direkt bescheiden aus, was?"

Feldhoff lächelt zurück: „Sie können auch nicht genug bekommen. Aber ich verspreche Ihnen, daß ich Sie erst dann in Ihrem Café besuche, wenn ich besser Schach spielen kann!"

Die Maschine hat aufgesetzt und rollt, immer langsamer werdend, aus ... Feldhoff will sich gerade erheben, als eine der Stewardessen zu ihnen tritt.

„Sie sind doch Herr Gruber?" wendet sie sich an diesen, und Gruber wechselt auf der Stelle die Gesichtsfarbe, während in seine Augen ein ängstliches Glitzern tritt.

„Ja ... der bin ich ..."

Die Stewardeß reicht ihm einen Umschlag und erklärt: „Ein Herr in Bangkok bat mich, Ihnen diesen Brief nach der Landung in Zürich auszuhändigen ... bitte!"

Zögernd nimmt ihr Gruber den Umschlag ab. „Danke ... ein Mann, sagen Sie?"

„Ja. Der Kleidung nach ein Inder. Er trug außerdem einen schwarzen Vollbart ..."

„Aha ... vielen Dank ... danke ..."

„Nun machen Sie schon auf!" fordert Feldhoff seinen Begleiter auf. Sekunden später zieht Gruber mit zittrigen Fingern zwei Dinge aus dem Umschlag: eine nagelneue Eintausend-Dollar-Note und eine Karte aus weißem Bütten.

„The Golden Lord bedankt sich", liest er vor ... Und er liest noch einmal ... Und dann noch einmal ... Dann reicht er die Karte Feldhoff hin.

„Gratuliere, Herr Gruber. Der Tag Angst scheint sich also doch gelohnt zu haben ..."

Grubers Blick geht an ihm vorbei und verliert sich irgendwo zwischen Limmatquai und Prajathipatai Road ...

Agatha Christie

Ein seltsamer Scherz

„Und das", sagte Jane Helier abschließend mit großer Geste, „ist Miss Marple!"

Jane war Schauspielerin und verstand es, Wirkung zu erzielen. Dies war unverkennbar der Höhepunkt, die Krönung der Schlußszene. In ihrem Ton mischten sich zu gleichen Teilen Ehrfurcht und Triumph.

Seltsamerweise war die so Eingeführte nur eine freundliche, betulich aussehende alte Jungfer. Die Augen der beiden jungen Leute, die eben dank Janes Vermittlung ihre Bekanntschaft gemacht hatten, verrieten Ungläubigkeit und einen Anflug von Bestürzung. Sie waren ein gutaussehendes Paar: Charmian Stroud, das Mädchen, schlank und dunkel – Edward Rossiter, der Mann, ein hellhaariger, liebenswürdiger junger Hüne.

„Oh!" stieß Charmian ein wenig atemlos hervor. „Wir freuen uns sehr, Sie kennenzulernen." Doch in ihren Augen lag Zweifel. Sie warf einen raschen, fragenden Blick zu Jane Helier.

„Liebling", sagte Jane mit Überzeugung, „sie ist einfach fabelhaft. Überlaßt nur alles ihr! Ich habe euch versprochen, sie herzuholen, und da ist sie." Zu Miss Marple gewandt sagte sie: „Sie können ihnen bestimmt helfen. Für *Sie* ist das ein Kinderspiel."

Miss Marple richtete ihre freundlichen, porzellanblauen Augen auf Mr. Rossiter.

„Möchten Sie mir nicht sagen", bat sie, „worum es hier eigentlich geht?"

„Jane ist eine Freundin von uns", warf Charmian ungeduldig ein. „Edward und ich sind in einer argen Klemme. Jane sagte, wenn wir zu ihrem Fest kämen, würde sie uns mit jemandem bekannt machen, der uns – der bereit wäre –"

Edward kam ihr zu Hilfe. „Jane hat uns erzählt, daß Sie eine wahre Meisterdetektivin sind, Miss Marple."

Die Augen der alten Dame blitzten, doch sie wehrte bescheiden ab. „Aber nein, nein! Nichts dergleichen. Doch wenn man auf dem Dorf lebt, wie ich, dann kann man gar nicht umhin, die Menschen kennenzulernen. Sie haben mich neugierig gemacht. Erzählen Sie mir von Ihren Schwierigkeiten!"

„Die Sache ist ziemlich banal, fürchte ich – es geht nur um einen vergrabenen Schatz", erklärte Edward.

„Tatsächlich? Aber das klingt ja höchst aufregend."

„Ich weiß. Wie *Die Schatzinsel*. Nur fehlt unserem Problem das übliche romantische Beiwerk. Keine Karte, auf der die Fundstelle durch einen Totenschädel mit gekreuzten Knochen gekennzeichnet ist; keinerlei Richtungsangaben wie vier Schritte nach links, west-nordwest. Es ist ein ganz prosaisches Problem, wo sollen wir graben?"

„Haben Sie denn überhaupt schon einen Versuch gemacht?"

„Das kann man wohl sagen! Wir haben ungefähr

zwei Morgen Land umgegraben. Wir brauchen nur noch Gemüse anzupflanzen, dann haben wir den schönsten Nutzgarten."

„Möchten Sie wirklich die ganze Geschichte hören?" fragte Charmian ziemlich unvermittelt.

„Aber natürlich, mein Kind."

„Dann suchen wir uns doch ein stilles Eckchen. Kommt!" Sie ging voraus und durch den mit Menschen gefüllten, rauchgeschwängerten Raum, und sie folgten ihr die Treppe hinauf in einen kleinen Salon im zweiten Stockwerk. Als sie sich gesetzt hatten, begann Charmian ohne Umschweife: „Also, die Sache ist so! Die Geschichte dreht sich um Onkel Matthew. Er war unser Onkel – oder vielmehr Großonkel. Er erreichte ein wahrhaft biblisches Alter. Edward und ich waren seine einzigen Verwandten. Er hatte uns gern und erklärte immer, wenn er eines Tages sterben sollte, würde er uns sein Geld hinterlassen. Nun ist er also im vergangenen März gestorben und verfügte, daß sein gesamtes Vermögen zu gleichen Teilen an Edward und mich gehen sollte. So, wie ich das jetzt erkläre, klingt es ziemlich kaltschnäuzig. Ich will nicht sagen, daß wir uns freuten, als er starb. Wir hatten ihn nämlich wirklich gern. Aber er war vor seinem Tod schon ziemlich lange krank gewesen.

Kurz und gut, das gesamte Vermögen, das er uns hinterließ, war praktisch gar nichts. Und das war, offen gesagt, ein ziemlicher Schlag für uns, nicht wahr, Edward?"

Der charmante Edward stimmte zu. „Ja", erklärte

er, „wir hatten ein bißchen mit dem Geld gerechnet. Ich meine, wenn man weiß, daß man etwas Geld zu erwarten hat, dann – na ja, dann strampelt man sich nicht unbedingt ab, um selbst etwas auf die Beine zu bringen. Ich bin beim Militär, und abgesehen von meinem Sold habe ich keine großen Besitztümer. Charmian hat keinen Penny. Sie arbeitet als Spielleiterin bei einem Repertoiretheater; das ist interessant, und es macht ihr Spaß, aber reich werden kann man dabei nicht. Für uns stand fest, daß wir eines Tages heiraten würden, aber die finanzielle Seite machte uns keine Sorgen, weil wir beide wußten, daß wir irgendwann ganz hübsch was erben würden."

„Und jetzt stehen wir da", sagte Charmian. „Das Schlimmste ist, daß wir wahrscheinlich *Ansleys* – das ist der Familienbesitz, Edward und ich lieben ihn – verkaufen müssen. Die Vorstellung ist uns beiden unerträglich. Aber wenn wir Onkel Matthews Geld nicht finden, dann müssen wir ihn verkaufen."

„Charmian", mischte sich Edward ein, „zum entscheidenden Punkt sind wir immer noch nicht gekommen."

„Hm, ja, dann erzähl du doch weiter!"

Edward wandte sich an Miss Marple. „Sehen Sie, es ist folgendermaßen. Mit zunehmendem Alter wurde Onkel Matthew immer mißtrauischer. Es kam so weit, daß er niemandem mehr vertraute."

„Sehr klug von ihm", stellte Miss Marple fest. „Die Verderbtheit der menschlichen Natur ist unglaublich."

„Kann sein, daß Sie recht haben. Jedenfalls war Onkel Matthew dieser Auffassung. Er hatte einen Freund, der sein Geld bei einem Bankkrach verlor; ein anderer Freund wurde von einem betrügerischen Anwalt um sein Vermögen gebracht, und er selbst verlor einiges Geld, als er in eine Schwindelfirma investierte. Am Schluß jedenfalls pflegte er des langen und breiten zu erklären, das einzig Sichere und Vernünftige wäre es, sein Geld in Goldbarren anzulegen und die Dinger zu vergraben."

„Aha", sagte Miss Marple. „Mir geht ein Licht auf."

„Ja. Einige seiner Freunde widersprachen ihm, hielten ihm vor, daß er auf diese Weise keine Zinsen bekommen würde, aber er behauptete, das spielte keine Rolle. Das Gescheiteste wäre es, pflegte er zu sagen, den Großteil seines Geldes in einer Pappschachtel unter dem Bett zu verwahren oder im Garten zu vergraben."

„Und als er starb", fuhr Charmian fort, „hinterließ er kaum etwas in Wertpapieren, obwohl er schwerreich war. Deshalb glauben wir, daß er sein Geld tatsächlich vergraben hat."

„Wir stellten nämlich fest", hakte Edward ein, „daß er von Zeit zu Zeit einen Teil seiner Wertpapiere verkauft und hohe Geldsummen abgehoben hatte. Kein Mensch weiß, was er mit dem Geld gemacht hat. Wir halten es deshalb für wahrscheinlich, daß er sich tatsächlich an seine Prinzipien gehalten und Goldbarren gekauft hat, die er dann im Garten vergrub."

„Er hat nicht mit Ihnen gesprochen, bevor er starb? Er hat keine Papiere hinterlassen? Keinen Brief?"

„Das ist ja das, was uns verrückt macht. Nichts. Er war mehrere Tage lang bewußtlos, aber dann erholte er sich noch einmal kurz. Er sah uns beide an und lachte leise – es war ein schwaches, dünnes Lachen. ‚Ihr beide seid jetzt gut gestellt, meine hübschen Täubchen', sagte er. Dann berührte er seine Augen und machte sie ganz weit auf, so als blickte er in weite Ferne, und zwinkerte uns zu. Kurz danach ist er gestorben."

„Er berührte seine Augen und machte sie ganz weit auf", wiederholte Miss Marple nachdenklich.

„Sagt Ihnen das etwas?" fragte Edward eifrig. „Mir fiel dabei eine Geschichte ein, wo etwas im Glasauge eines Mannes verborgen war. Aber Onkel Matthew hatte kein Glasauge."

Miss Marple schüttelte den Kopf. „Nein – auf Anhieb fällt mir dabei nichts ein."

„Jane hat mir erklärt", bemerkte Charmian enttäuscht, „Sie würden uns augenblicklich sagen, wo wir graben sollen."

Miss Marple lächelte. „Zaubern kann ich leider nicht. Ich habe Ihren Onkel nicht gekannt, ich weiß nicht, was für ein Mensch er war, und ich kenne weder das Haus noch das umliegende Gelände."

„Und wenn Sie es kennenlernen würden?" fragte er.

„Nun, die Sache muß doch eigentlich ganz einfach sein, meinen Sie nicht?" gab Miss Marple zurück.

„Einfach!“ rief Charmian. „Dann kommen Sie doch mit nach *Ansleys*. Da werden Sie sehen, wie einfach es ist.“

Möglich, daß ihre Einladung nicht ernst gemeint war, doch Miss Marple sagte sogleich ganz lebhaft: „Das ist aber wirklich nett von Ihnen, mein Kind. Ich habe mir immer schon gewünscht, einmal auf Schatzsuche gehen zu können. Und noch dazu“, fügte sie mit einem strahlenden Lächeln hinzu, „wenn die Liebe mit im Spiel ist.“

„Da sehen Sie's!“ sagte Charmian mit dramatischer Geste. Sie hatten soeben einen ausgedehnten Rundgang durch das Gelände von *Ansleys* beendet. Sie waren durch den Gemüsegarten gewandert, der von tiefen Gräben durchzogen war. Sie waren durch das Wäldchen spaziert, wo um jeden größeren Baum herum die Erde ausgehoben worden war, und hatten traurig den mit Erdhügeln gesprenkelten Rasen betrachtet, der einst glatt und wohlgepflegt gewesen war. Sie waren oben in der Mansarde gewesen, wo alte Schiffskoffer und Truhen durchwühlt worden waren. Sie waren in den Keller hinuntergestiegen, wo Steinplatten aus dem Boden gerissen worden waren. Sie hatten Wände nachgemessen und abgeklopft, und Miss Marple hatte jedes antike Möbelstück begutachten müssen, von dem zu vermuten war, daß es ein Geheimfach enthielt.

Auf einem Tisch im Arbeitszimmer lag ein Stapel von Papieren – alle Unterlagen, die der verstorbene

Matthew Stroud hinterlassen hatte. Nicht ein Dokument war vernichtet worden, und Charmian und Edward zog es immer wieder zu ihnen hin. Ernsthaft hatten sie schon unzählige Male die Rechnungen, Einladungen und Geschäftsbriefe durchgesehen, in der Hoffnung, einen Hinweis zu entdecken, der ihnen bis dahin entgangen war.

„Fällt Ihnen ein Ort ein, wo wir noch nicht gesucht haben?“ fragte Charmian hoffnungsvoll.

Miss Marple schüttelte den Kopf.

„Ich habe den Eindruck, daß Sie beide sehr gründlich zu Werke gegangen sind, mein Kind. Vielleicht, wenn ich das einmal sagen darf, allzu gründlich. Meiner Meinung nach sollte man immer einen Plan haben. Mir fällt in diesem Zusammenhang meine Freundin, Mrs. Eldritch, ein. Sie hatte ein wirklich nettes kleines Dienstmädchen, das das Linoleum immer auf Hochglanz bohnerte; aber sie war so gründlich, daß sie den Boden im Badezimmer zu heftig bohnerte, und als Mrs. Eldritch aus der Wanne stieg, da rutschte die Matte unter ihren Füßen weg, und sie stürzte äußerst unglücklich und brach sich das Bein. Es war wirklich dumm, weil die Badezimmertür natürlich abgeschlossen war. Der Gärtner mußte eine Leiter holen und durch das Fenster einsteigen. Schrecklich peinlich für Mrs. Eldritch, wie Sie sich vorstellen können.“

Edward trat nervös von einem Fuß auf den anderen.

„Verzeihen Sie“, sagte Miss Marple hastig. „Ich komme immer so leicht vom Hundertsten ins Tausendste, ich weiß. Aber eines erinnert einen eben an das andere. Und manchmal ist das eine Hilfe. Ich wollte damit eigentlich nur sagen, wenn wir uns vielleicht bemühen, unser Gehirn anzustrengen, und uns überlegen, ob es nicht einen Ort gibt –"

„Tun Sie das, Miss Marple", fiel ihr Edward gereizt ins Wort. „In meinem Gehirn und in Charmians ist inzwischen nur noch gähnende Leere."

„Sie Ärmster. Natürlich – für Sie ist das alles höchst verdrießlich. Wenn Sie nichts dagegen haben, sehe ich diesen Haufen da einmal durch." Sie wies auf die Papiere auf dem Tisch. „Das heißt natürlich, wenn nichts Persönliches darunter ist. Ich möchte nicht den Eindruck erwecken, daß ich schnüffle."

„Nein, nein, sehen Sie sich die Papiere ruhig an. Ich fürchte nur, Sie werden da auch nichts finden."

Sie setzte sich an den Tisch und arbeitete sich mit Methode durch den Stoß von Unterlagen. Automatisch sortierte sie die Papiere in mehrere ordentliche kleine Häufchen. Als sie das letzte Blatt aus der Hand gelegt hatte, saß sie ein paar Minuten lang stumm da und starrte auf die säuberlichen Häufchen, die vor ihr lagen.

Nicht ohne einen Anklang von Boshaftigkeit fragte Edward: „Nun, Miss Marple?"

Mit einem kleinen Zusammenzucken fuhr Miss Marple aus ihrer Versunkenheit.

„Entschuldigen Sie. Das war äußerst nützlich."

„Sie haben etwas entdeckt, das von Belang ist?"

„Nein, nein, das nicht, aber ich glaube jetzt zu wissen, was für ein Mensch Ihr Onkel Matthew war. Ich habe den Eindruck, er war meinem eigenen Onkel Henry ziemlich ähnlich. Er hatte eine Schwäche für recht banale Scherze. Ein Junggeselle offensichtlich – würde mich interessieren, wieso – vielleicht eine frühe Enttäuschung? Bis zu einem gewissen Grad genau und methodisch, aber mit einer Abneigung dagegen, sich festzulegen – das ist bei vielen Junggesellen so."

Hinter Miss Marples Rücken tippte sich Charmian an die Stirn. Sie ist plemplem, gab sie Edward zu verstehen. Miss Marple erzählte derweilen munter weiter von ihrem verstorbenen Onkel Henry.

„Er hatte eine Vorliebe für Wortspiele. Und es gibt Leute, die Wortspiele einfach hassen. Solche Wortspiele können natürlich auch nervig sein. Er war ebenfalls ein mißtrauischer Mensch. Dauernd verdächtigte er die Hausangestellten, ihn zu bestehlen. Manchmal war das natürlich tatsächlich der Fall, aber nicht immer. Und dieses Mißtrauen verschlimmerte sich immer mehr. Der Arme war am Ende so weit, daß er das Personal verdächtigte, sein Essen zu vergiften. Er aß nur noch harte gekochte Eier. In ein hartes Ei könnte niemand etwas hineinmanipulieren, sagte er immer. Und dabei war er früher ein so lebensfroher Mensch. Wie hat er seinen Kaffee nach dem Essen immer genossen! ‚Dieser Kaffee schmeckt nach Meer', pflegte er zu sagen, womit er wissen lassen wollte, daß er mehr haben wollte, verstehen Sie."

Edward hatte das Gefühl, daß er aus der Haut fahren würde, wenn er sich noch weitere Anekdoten über Onkel Henry anhören müßte.

„Junge Menschen hatte er gern", fuhr Miss Marple fort, „aber er hatte eine Vorliebe dafür, sie zu necken. Er machte sich zum Beispiel einen Spaß daraus, eine Tüte Bonbons an einen Platz zu legen, wo die Kinder sie zwar sehen, aber nicht erreichen konnten."

Charmian vergaß alle Höflichkeit und sagte: „Er muß ein gräßlicher Mensch gewesen sein."

„Aber nein, mein Kind, nur ein verschrobener alter Junggeselle, der an Kinder nicht gewöhnt war. Und dumm war er ganz und gar nicht. Er hatte immer ziemlich viel Geld im Haus, und deshalb ließ er einen Safe einbauen. Er machte großen Wirbel darum, erklärte allen, die es hören wollten, wie sicher der Safe sei. Das Resultat war, daß eines Nachts Einbrecher kamen, und sie schnitten doch tatsächlich ein Loch in den Safe."

„Recht geschehen", bemerkte Edward.

„Aber der Safe war leer", erklärte Miss Marple. „In Wirklichkeit bewahrte er nämlich sein Geld an einem ganz anderen Ort auf – hinter einer mehrbändigen Ausgabe frommer Sprüche und Predigten in der Bibliothek. Solche Bücher zögen die Leute nie aus den Regalen, sagte er."

„He!" unterbrach Edward aufgeregt. „Das ist ein Gedanke! Vielleicht in der Bibliothek."

Doch Charmian schüttelte nur verächtlich den Kopf.

„Glaubst du, daran hätte ich nicht gedacht? Letzten Dienstag, als du in Portsmouth warst, habe ich sämtliche Bücher durchgesehen. Eines nach dem anderen habe ich herausgenommen und geschüttelt. Da ist nichts."

Edward seufzte. Dann raffte er sich zusammen und versuchte nunmehr, den enttäuschenden Gast auf möglichst taktvolle Art loszuwerden.

„Es war sehr freundlich von Ihnen, mit uns hier herunterzukommen und zu versuchen, uns zu helfen. Es tut mir leid, daß nichts dabei herausgekommen ist. Ich fürchte, wir haben Ihnen nur die Zeit gestohlen. Aber ich hole jetzt gleich den Wagen heraus, dann können Sie den Zug um fünfzehn Uhr dreißig –"

„Aber nein", unterbrach ihn Miss Marple. „Wir müssen doch noch das Geld finden, oder nicht? Sie dürfen die Flinte nicht ins Korn werfen, Mr. Rossiter. Man muß für den Erfolg arbeiten."

„Soll das heißen, daß Sie – daß Sie es weiter versuchen wollen?"

„Genaugenommen", gab Miss Marple zurück, „habe ich noch gar nicht begonnen. ‚Erst fange man einen Hasen', wie Mrs. Beaton in ihrem Kochbuch schreibt – ein prächtiges Buch, aber sündhaft teuer; die meisten Rezepte beginnen mit den Worten: Man nehme einen halben Liter Sahne und ein Dutzend Eier. Hm, Augenblick, wo war ich gleich? Ach, ja. Also, den Hasen haben wir sozusagen jetzt gefangen – wobei der Hase natürlich Ihr Onkel Matthew ist. Nun müssen wir uns nur noch überlegen, wo er das Geld versteckt hätte. Das müßte eigentlich ganz einfach sein."

„Einfach?" echote Charmian.

„Gewiß, mein Kind. Ich bin überzeugt, er hätte das Nächstliegende getan. Ein Geheimfach – das ist mein Tip."

„Goldbarren kann man nicht in einem Geheimfach verstecken", stellte Edward trocken fest.

„Nein, natürlich nicht. Aber es gibt keinen Anlaß anzunehmen, daß das Geld in Goldbarren steckt."

„Er hat doch immer gesagt –"

„Ja, mein Onkel Henry hat auch immer von seinem Safe gesprochen. Ich vermute deshalb stark, daß das nur ein Täuschungsmanöver war. Diamanten – die ließen sich leicht in einem Geheimfach unterbringen."

„Aber wir haben doch in allen Geheimfächern nachgesehen! Wir haben extra einen Schreiner kommen lassen, der sich die Möbel angesehen hat."

„Tatsächlich? Das war sehr klug von Ihnen. Ich würde sagen, daß der Schreibtisch Ihres Onkels am ehesten in Frage kommt. Ist das der hohe Sekretär dort an der Wand?"

„Ja. Ich zeige Ihnen alles."

Charmian ging zu dem Sekretär. Sie zog die Klappe herunter. Dahinter befanden sich viele kleine Fächer und Schubladen. Sie zog ein kleines Türchen in der Mitte auf und drückte auf eine Feder in der Schublade links davon. Der Boden des Mittelfachs glitt mit einem feinen Knacken nach vorn. Charmian zog ihn heraus. Darunter befand sich ein nicht sonderlich tiefes Fach. Es war leer.

„So ein Zufall!“ rief Miss Marple. „Mein Onkel Henry hatte genau den gleichen Schreibtisch. Nur war seiner aus Walnuß, und der hier ist aus Mahagoni.“

„Auf jeden Fall“, bemerkte Charmian, „ist das Fach leer, wie Sie sehen können.“

„Ich nehme an“, gab Miss Marple zurück, „Ihr Schreiner war ein junger Mann. Nicht allzu bewandert. Die Leute jener Zeit waren sehr raffiniert, wenn sie geheime Verstecke einbauten. Es gibt da häufig ein Geheimfach im Geheimfach.“

Sie zog eine Nadel aus ihrem fest gedrehten grauen Haarknoten. Nachdem sie sie geradegebogen hatte, senkte sie ihre Spitze in eine winzige Öffnung auf einer Seite des Geheimfachs, die wie ein Wurmloch aussah. Mit ein wenig Mühe zog sie eine kleine Schublade heraus. In ihr lagen ein Bündel vergilbter Briefe und ein zusammengefaltetes Blatt Papier.

Edward und Charmian stürzten sich gleichzeitig auf den Fund. Mit zitternden Fingern faltete Edward das Blatt Papier auseinander. Gleich darauf schleuderte er es mit einem Ausruf des Zorns von sich.

„Ein Kochrezept! Für Wiener Kaiserschmarren!“

Charmian löste das Band, das die Briefe zusammenhielt. Sie zog einen heraus und warf einen Blick darauf.

„Liebesbriefe!“

Miss Marple war hingerissen.

„Wie interessant! Vielleicht erfahren wir jetzt den Grund, weshalb Ihr Onkel nie geheiratet hat."

Charmian las vor: „Mein liebster Matthew, ich muß gestehen, die Zeit ist mir lang geworden, seit ich Deinen letzten Brief erhalten habe. Ich versuche, mich ganz den Aufgaben zu widmen, die mir auferlegt sind, und sage mir oft, wie glücklich ich mich preisen kann, Gelegenheit zu haben, so viel von der Welt zu sehen. Als ich damals nach Amerika reiste, hätte ich mir allerdings nicht träumen lassen, daß ich eines Tages auf diese fernen Inseln verschlagen werden würde."

Charmian brach ab. „Woher kommt der Brief? Oh! Aus Hawai!"

Sie fuhr fort: „Diese Eingeborenen hier sind leider noch weit entfernt davon, erleuchtet zu werden. Sie befinden sich noch in einem Zustand der Nacktheit und der Wildheit und bringen fast ihre ganze Zeit damit zu, zu schwimmen und zu tanzen und sich mit Blumenkränzen zu schmücken. Mr. Gray hat einige von ihnen zum Glauben bekehrt, aber es ist mühsame Arbeit, und er und Mrs. Gray sind oft sehr entmutigt. Ich gebe mir alle Mühe, sie aufzuheitern und zu ermutigen, aber auch mir ist oft traurig ums Herz. Den Grund kannst Du Dir wohl denken, mein lieber Matthew. Ja, die Trennung ist eine schwere Prüfung für ein liebendes Herz. Die Beteuerungen Deiner unwandelbaren Liebe und Zuneigung haben mich sehr getröstet. Mein Herz gehört jetzt und immer Dir, mein lieber Matthew.

Ich grüße Dich aus der Ferne und bitte Dich, mir zu glauben, daß ich Dir immer gut sein werde. Deine Dich liebende Betty Martin.

P.S. Ich schicke den Brief wie immer an unsere gemeinsame Freundin Matilda Graves. Ich hoffe, der Himmel wird mir diese kleine List verzeihen!"

Edward stieß einen Pfiff aus.

„Eine Missionarin! Das also war Onkel Matthews Liebe. Ich möchte wissen, warum sie nie geheiratet haben."

„Sie scheint in der ganzen Welt herumgekommen zu sein", bemerkte Charmian, während sie die Briefe durchsah. „Mauritius – alle möglichen Länder der Erde. Sie ist wahrscheinlich am Gelben Fieber gestorben oder so was."

Ein leises Lachen riß die beiden jungen Leute aus ihren Betrachtungen. Miss Marple war offenbar sehr erheitert. „Na so was!" sagte sie. „Wer hätte das gedacht!"

Sie überflog gerade das Rezept für den Wiener Kaiserschmarren. Als sie die fragenden Blicke der jungen Leute bemerkte, las sie vor: „‚Wiener Kaiserschmarren. Man nehme sechs Eier, einen Viertel Liter Milch, zwei Löffel Zucker, zweihundert Gramm Mehl, Salz. Eigelb und Zucker, Salz und Milch verrühren. Das Mehl dazu, Eischnee vorsichtig unterheben, zuletzt eine Handvoll Sultaninen. Das Ganze in der Pfanne goldbraun backen und kleine Stücke abstechen. Fertig ist der Schmarren!' Was sagen Sie dazu?"

„Viel zu süß“, erklärte Edward unwirsch.

„Nein, nein, das schmeckt sicher köstlich – aber wie denken Sie über das *Ganze*?“

Ein Licht der Erleuchtung erhellte plötzlich Edwards Gesicht.

„Glauben Sie, es ist eine verschlüsselte Botschaft?“ Er packte das Blatt mit dem Rezept. „Schau her, Charmian, das könnte es sein! Es gibt doch sonst keinen Grund, ein Kochrezept in einer Geheimschublade zu verstecken.“

„Genau“, bestätigte Miss Marple, „das ist sehr bedeutsam.“

„Ich weiß, was es sein könnte“, ließ sich Charmian vernehmen. „Unsichtbare Tinte. Machen wir das Papier doch mal heiß. Schalte die Heizplatte ein.“

Edward tat es, doch keine Spuren einer Geheimschrift zeigten sich unter Einwirkung der Wärme.

Miss Marple hüstelte. „Wissen Sie, ich glaube wirklich, Sie machen es sich zu schwer. Das Rezept ist gewissermaßen nur ein Hinweis. Das Wichtigste sind meiner Ansicht nach die Briefe.“

„Die Briefe?“

„Insbesondere“, sagte Miss Marple, „die Schlußformel. Sie ist bei allen Briefen gleich.“

Doch Edward hörte nur mit halbem Ohr zu.

„Charmian“, rief er aufgeregt. „Komm her! Miss Marple hat recht. Schau – die Umschläge sind alt. Aber die Briefe selbst wurden viel später geschrieben.“

„Genau“, sagte Miss Marple wie zuvor.

„Sie sind nur auf alt gemacht. Ich möchte wetten, daß Onkel Matthew sie selbst geschrieben hat ..."

„Ganz recht", meinte Miss Marple.

„Die ganze Geschichte ist erfunden. Es hat nie eine Missionarin gegeben. Das kann nur eine verschlüsselte Botschaft sein."

„Meine Lieben, es ist wirklich nicht nötig, die ganze Sache so kompliziert zu sehen. Ihr Onkel war im Grund ein einfacher Mensch. Nur seinen kleinen Spaß wollte er haben, das ist alles."

Zum erstenmal zollten sie ihr ungeteilte Aufmerksamkeit.

„Wie meinen Sie das, Miss Marple?" erkundigte sich Charmian.

„Ich meine, mein Kind, daß Sie das Geld in diesem Augenblick in Ihren Händen halten."

Charmian starrte auf die Briefe.

„Die Schlußformel, mein Kind. Sie verrät alles. Das Rezept ist, wie gesagt, nur ein Hinweis. Was ist es denn in Wirklichkeit? Am Schluß steht es klar und deutlich. Ein Schmarren! Mit anderen Worten, Quatsch! Es ist also klar, daß die Briefe das Wichtige sind. Die Schlußformel, die in allen Briefen die gleiche ist: Ich grüße Dich aus der Ferne und werde Dir immer gut sein! Und das nun im Zusammenhang mit dem, was Ihr Onkel tat, kurz bevor er starb. Er berührte seine Augen, sagten Sie, und machte sie weit auf, als blickte er in die Ferne. Na bitte – da haben Sie's. Das ist der Hinweis auf die Lösung des Rätsels."

„Sind wir verrückt, oder sind Sie es?“ fragte Charmian.

„Aber mein Kind, Sie kennen doch das Sprichwort: Warum in die Ferne schweifen, sieh, das Gute liegt so nah!“

Edward stieß einen unterdrückten Schrei aus und blickte auf den Brief in seiner Hand.

„Ich grüße Dich aus der Ferne und bin Dir immer gut!“

„Richtig, Mr. Rossiter. Wie Sie eben selbst sagten, hat es diese treue Geliebte nie gegeben. Die Briefe wurden von Ihrem Onkel geschrieben, und ich könnte mir denken, daß er viel Spaß dabei gehabt hat. Die Schrift auf den Umschlägen ist, wie Sie ebenfalls bemerkten, viel älter – die Umschläge können gar nicht zu den Briefen gehören, weil der Poststempel auf dem, den Sie in der Hand halten, von achtzehnhunderteinundfünfzig ist.“

Sie machte eine Pause.

„Achtzehnhunderteinundfünfzig“, sagte sie dann mit einigem Nachdruck. „Das erklärt doch wohl alles.“

„Mir nicht“, versetzte Edward.

„Ja, natürlich“, meinte Miss Marple. „Mir würde es wahrscheinlich auch nichts sagen, wenn nicht mein Großneffe Lionel wäre. Ein reizender Junge, wirklich, und ein leidenschaftlicher Briefmarkensammler. Er kennt sich auf diesem Gebiet glänzend aus. Von ihm habe ich erfahren, daß es ganz besonders seltene und wertvolle Briefmarken gibt, und er erzählte mir, daß ein ganz fantastischer neuer Fund zur Versteigerung gekommen sei. Ich erinnere mich besonders an eine Briefmarke, die er erwähnte – eine blaue Zwei-Cent-Marke von achtzehnhunderteinundfünfzig. Sie erzielte an die fünfundzwanzigtausend Dollar, glaube ich. Stellen Sie sich das vor! Ich denke mir, daß auch die anderen Marken besonders seltene und wertvolle Exemplare sind. Ihr Onkel hat zweifellos über einen Händler gekauft und darauf geachtet, ‚seine Spuren zu verwischen', wie es in Detektivgeschichten immer heißt."

Edward stöhnte. Er ließ sich in einen Sessel fallen und schlug die Hände vor sein Gesicht.

„Was ist denn los?" fragte Charmian.

„Nichts. Mir ist nur eben der entsetzliche Gedanke gekommen, daß wir all diese Briefe ganz taktvoll verbrannt hätten, wenn nicht Miss Marple gewesen wäre."

„Ja, ja", meinte Miss Marple, „das machen sich diese alten Herren, die so gern Schabernack treiben, niemals klar. Ich erinnere mich, daß Onkel Henry einmal seiner Lieblingsnichte zu Weihnachten eine Ein-Pfund-Note schickte. Er steckte sie in eine Weihnachtskarte, klebte die Karte zusammen und schrieb darauf: ‚In Liebe und mit den besten Wünschen. Leider reicht es in diesem Jahr nicht zu mehr.' Das arme Ding war ziemlich verärgert über seinen scheinbaren Geiz und warf die Karte in ihrem Zorn gleich ins Feuer; da mußte er ihr natürlich noch einen Schein schicken."

Edwards Gefühle Onkel Henry gegenüber hatten eine schlagartige Wandlung durchgemacht.

„Miss Marple", sagte er, „ich hole jetzt eine Flasche Champagner herauf, und dann trinken wir alle auf das Wohl Ihres Onkels Henry."

Charles Dickens

Das Sofa

„Was junge Leute manchmal alles anfangen, um sich zugrunde zu richten und ihren Freunden das Herz zu brechen", sagte Sergeant Dornton, der mich eines Abends zusammen mit Inspektor Wield von der Geheimpolizei besuchte, „das ist ganz überraschend. Ich hatte einen Fall in Sankt Blanks Krankenhaus. Ein schlimmer Fall, Herr, wirklich, mit schlimmem Ende. Der Geschäftsführer, der Hausarzt und der Schatzmeister von Sankt Blanks Krankenhaus kamen nach Scotland Yard, um anzuzeigen, daß die Studierenden in zahlreichen Fällen bestohlen worden seien. Nichts konnten die Studierenden in den Taschen ihrer Überzieher lassen, während sie im Krankenhaus hingen, ohne daß es nicht fast mit Sicherheit daraus gestohlen worden wäre. Sachen aller erdenklichen Beschreibungen gingen fortwährend verloren; und die Herren fühlten sich natürlich unbehaglich deswegen, waren, und zwar wegen des Rufs ihres Unternehmens, sehr begierig, der Dieb oder die Diebe möchten entdeckt werden. Der Fall wurde mir anvertraut, und ich ging nach dem Krankenhaus.

‚Nun, meine Herren', sagte ich, ‚soviel ich sehe, gehen die Sachen immer in demselben Zimmer verloren.'

‚Ja', sagten sie, ‚das ist so.'

‚Dann möchte ich, wenn es Ihnen recht ist', sagte ich ‚dies Zimmer wohl mal sehen.'

Es war ein ganz hübsch großer, leerer Raum unten, mit ein paar Tischen und Bänken drin und einer Reihe von Pflöcken rundum für Hüte und Röcke.

,Dann, meine Herren', sagte ich, ,haben Sie jemanden in Verdacht?'

,Ja', sagten sie, sie hätten jemanden in Verdacht. Es täte ihnen leid, aber sie hätten einen der Pförtner in Verdacht.

,Ich möchte gern', sagte ich, ,daß mir dieser Mann gezeigt wird und daß ich ihn kurze Zeit beobachten kann.'

Er wurde mir bezeichnet, und ich beobachtete ihn und ging dann wieder ins Krankenhaus und sagte: ,Na, meine Herren, der Pförtner ist es nicht. Er ist zu seinem Pech etwas sehr fürs Trinken, aber was Schlimmeres ist er nicht. Mein Verdacht geht dahin, diese Diebstähle werden von einem der Studierenden begangen; und wenn Sie mir ein Sofa in den Raum stellen wollten, wo die Pflöcke sind – weil ja doch kein Schrank da ist –, dann denke ich, werde ich imstande sein, den Dieb zu entdecken. Ich hätte das Sofa gern, wenn es Ihnen recht ist, mit Jute oder so ähnlichem Stoff überzogen, so daß ich auf dem Bauch darunter liegen kann, ohne gesehen zu werden.'

Das Sofa wurde besorgt, und am nächsten Tag ging ich um elf Uhr, ehe noch einer der Studierenden da war, mit den Herren hin, um drunterzukriechen. Es stellte sich aber heraus, daß es eins von diesen altmodischen Sofas war mit einem großen Querbalken drunter, der mir sofort das Rückgrat gebrochen hätte, wenn ich überhaupt drunter gekommen wäre. Es kostete uns ordentliche Mühe, den noch zu rechter Zeit wegzubrechen; aber ich machte mich gleich dran und sie auch, und wir brachen ihn heraus und schafften Raum für mich. Ich kroch unter das Sofa, legte mich auf den Bauch, holte mein Messer heraus und schnitt mir ein passendes Loch in den Chintz, um durchzugucken. Dann wurde zwischen den Herren und mir abgemacht, daß, wenn alle Studierenden oben in den Sälen wären, einer der Herren dann hereinkommen und einen Überzieher an einen der Pflöcke hängen sollte. Und dieser Überzieher sollte in einer seiner Taschen ein Taschenbuch mit gezeichnetem Geld haben.

Nachdem ich eine Zeitlang dagelegen hatte, fingen die Studierenden an, einzeln oder zu zweien oder dreien in den Raum zu kommen und über alles mögliche zu reden, wobei sie wohl nicht im geringsten daran dachten, es läge jemand unter dem Sofa – und dann nach oben zu gehen. Zuletzt kam einer, der blieb da, bis er ganz allein im Zimmer war. Ein schlanker, gutaussehender junger Mensch von ein- oder zweiundzwanzig, mit hellem Backenbart. Er trat zu einem besonderen Hutnagel, nahm einen guten Hut herunter, der da hing, paßte ihn auf, hängte seinen eigenen an seine Stelle und jenen auf einen anderen Pflock, fast genau mir gegenüber. Da fühlte ich ganz sicher, dies wäre der Dieb, und er würde nach und nach schon wiederkommen.

Sobald alle oben waren, kam der Herr mit dem

Überzieher herein. Ich zeigte ihm, wo er ihn hinhängen sollte, so daß ich ihn gut sehen könnte, und dann ging er weg; und ich lag unter dem Sofa auf dem Bauch, ein paar Stunden oder so und wartete.

Zuletzt kam der junge Mann wieder herunter. Er ging pfeifend durchs Zimmer – blieb stehen und horchte – ging pfeifend wieder weiter – blieb wieder stehen und horchte – und dann ging er die Pflöcke regelrecht durch und durchfühlte die Taschen sämtlicher Überzieher. Als er an den Überzieher kam und das Taschenbuch fühlte, war er so gierig und so in Eile, daß er die Schnur abriß beim Aufmachen. Während er sich das Geld in die Tasche steckte, kroch ich unter dem Sofa hervor, und seine Augen trafen meine.

Jetzt ist, wie Sie wohl bemerkt haben, mein Gesicht braun, aber damals war es blaß, weil meine Gesundheit nicht besonders war; und es war so lang wie ein Pferdekopf. Außerdem hatte es mächtig von der Tür her gezogen unter dem Sofa, und ich hatte mir ein Taschentuch um den Kopf gebunden; wie ich also alles in allem aussah, weiß ich nicht. Er wurde blau – buchstäblich blau –, als er mich hervorkriechen sah, und das überraschte mich auch nicht.

‚Ich bin Geheimpolizist', sagte ich zu ihm, ‚und habe hier gelegen, seit Sie heute morgen zuerst hier hereinkamen. Es tut mir Ihretwegen und Ihrer Freunde wegen sehr leid, daß Sie getan haben, was Sie taten; aber der Fall ist vollkommen klar. Sie haben das Taschenbuch in der Hand und das Geld bei sich; und ich muß Sie verhaften.'

Es war unmöglich, irgend etwas zu seiner Verteidigung herauszufinden, und in der Untersuchung gestand er. Wie oder wann er die Möglichkeit dazu bekam, weiß ich nicht; aber während er in Newgate auf seine Verurteilung wartete, vergiftete er sich.“

Dorothy L. Sayers

Das Perlenhalsband

Sir Septimus Shale pflegte seine Autorität einmal – und nur einmal – im Jahr geltend zu machen. Er ließ seine junge, elegante Frau das Haus mit geometrischen Stahlrohrmöbeln anfüllen, sie konnte avantgardistische Maler und alogische Dichter sammeln, an Cocktails und Relativitätstheorie glauben und sich so extravagant kleiden, wie sie Lust hatte; aber er bestand darauf, daß Weihnachten auf altmodische Weise gefeiert wurde. Er hatte ein schlichtes Gemüt, an Plumpudding und Knallbonbonsprüchen wirklich Freude, und es erschien ihm unmöglich, daß diese Dinge anderen „im Grunde" nicht ebenso gut gefielen. So zog er sich zu Weihnachten unweigerlich auf sein Landhaus in Essex zurück; die Dienstboten mußten Stechpalmen- und Mistelzweige an die kubistischen Beleuchtungskörper hängen, er selbst belud das Stahlrohrbüfett mit Delikatessen und Naschwerk, drapierte Strümpfe über das Kopfteil der polierten Nußbaumbetten und ließ sogar für dies eine Mal die elektrische Heizanlage aus den Kaminen entfernen, damit man Holzfeuer und einen Julklotz anzünden konnte. Dann versammelte er seine Familie und seine Freunde um sich und stopfte sie mit so vielen guten Dingen voll, wie er ihnen nur aufzunötigen vermochte. Nach dem Weihnachtsschmaus dirigierte er sie in den Salon, um sie mit Scharaden und anderen Gesellschaftsspielen, etwa „Tier, Pflanze, Mineral", zu unterhalten; auch Versteckspielen im ganzen Haus gehörte zu den gebotenen Vergnügungen. Weil Sir Septimus ein sehr reicher Mann war, stimmten seine Gäste diesem stets gleichen Programm zu, und wenn sie sich dabei langweilten, ließen sie doch nichts davon verlauten.

Ein weiterer reizender Brauch, an dem er festhielt, war, daß er seiner Tochter Margharita zu jedem Geburtstag eine Perle schenkte – und dieser Geburtstag fiel mit dem Heiligen Abend zusammen. Inzwischen waren es zwanzig Perlen geworden, und die Kollektion erfreute sich allmählich einer gewissen Berühmtheit; verschiedene Gesellschaftsblätter hatten eine Abbildung gebracht. Obwohl die Perlen nicht ungewöhnlich groß waren – jede etwa wie eine Erbse –, besaßen sie doch beträchtlichen Wert. Sie hatten eine erlesen schöne Farbe, waren vollendet geformt und paßten haargenau zueinander. An diesem besonderen Weihnachtsabend hatte die Überreichung der einundzwanzigsten Perle Anlaß zu außergewöhnlichen Feierlichkeiten geboten. Man tanzte, und es wurden Reden gehalten. Am folgenden Abend fand die Feier im engeren Familienkreis bei Truthahn und viktorianischen Gesellschaftsspielen statt. Es waren elf Gäste, die mit Sir Septimus und Lady Shale und ihrer Tochter zusammensaßen, fast alle mit ihnen verwandt oder sonstwie verbunden: John Shale, ein Bruder, mit seiner Frau, seinem Sohn Henry und seiner Tochter Betty; Bettys Verlobter Oswald Truegood, ein junger Mann mit parlamentarischen Ambitionen; George Camphrey, ein Vetter von Lady Shale, etwa dreißigjährig und als Lebemann bekannt; Lavinia Prescott, Georges wegen eingeladen; Joyce Trivett, Henry Shales wegen eingeladen; Richard und Beryl Dennison, entfernte Verwandte Lady Shales, die in der Stadt ein recht munteres und teures Leben führten, von dem niemand so recht wußte, wie sie es finanzierten; und schließlich Lord Peter Wimsey, der – eine geradezu rührend törichte Hoffnung – um Margharitas willen hergebeten worden war. Außerdem waren natürlich William Norgate, der Sekretär von Sir Septimus, und Miss Tomkins, die Sekretärin Lady Shales, anwesend; sie mußten dabeisein, weil ohne ihr Wirken im Hintergrund das Programm nicht hätte durchgeführt werden können.

Das Essen war vorüber – eine scheinbar endlose Folge von Suppe, Fisch, Truthahn, Roastbeef, Plumpudding, glasierten Früchten, Nüssen und fünferlei Wein, präsidiert von Sir Septimus, ganz lächelnde Freundlichkeit, neben ihm Lady Shale, ganz mokante Geringschätzung, und Margharita, hübsch und gelangweilt, mit der Kette aus einundzwanzig Perlen, die sanft an ihrem schlanken Hals schimmerten.

Die Gesellschaft, die, mit vollem Magen, einzig nach horizontaler Lage verlangte, wurde in den Salon geführt, wo man „musikalische Stühle" (Miss Tomkins am Klavier), „Hasch den Pantoffel" (Pantoffel von Miss Tomkins und Mr. William Norgate) spielte. Der hintere Salon – Sir Septimus hing an solch altmodischen Bezeichnungen – gab das Umkleidezimmer ab; Flügeltüren trennten ihn vom großen Hauptraum, wo das Publikum auf Leichtmetallstühlen saß und in der furchterregenden Helle des Lampenlichts, das von der Metalldecke zurückgeworfen wurde, unbehaglich auf dem schwarzspiegelnden Fußboden scharrte.

William Norgate regte nach einer kurzen Prüfung der Stimmungskurve bei Lady Shale an, etwas weniger Turbulentes zu spielen. Lady Shale war sogleich einverstanden und schlug, wie gewöhnlich, Bridge vor. Sir Septimus tat diesen Vorschlag, wie gewöhnlich, mit einer Handbewegung ab.

„Bridge? Unsinn! Spielt Bridge an jedem Abend eures Lebens. Aber heute ist Weihnachten. Etwas, das wir alle miteinander spielen können – wie wär's mit ‚Tier, Pflanze, Mineral'?"

Dieser intellektuelle Zeitvertreib stand bei Sir Septimus hoch in Gunst; er war recht geschickt, wenn es darauf ankam, bedeutungsschwere Fragen zu stellen. Nach kurzer Diskussion wurde es offensichtlich, daß dieses Spiel ein unvermeidlicher Programmpunkt war. Die Gesellschaft stimmte also zu, und Sir Septimus ging als erster vor die Tür, um die Sache in Schwung zu bringen.

Kurz darauf hatten sie unter anderem die Fotografie von Miss Tomkins' Mutter geraten, dann eine Schallplatte mit „Ich möchte glücklich sein" (es brauchte dazu wissenschaftliche Forschungen über die genaue Zusammensetzung der Platten, von William Norgate aus der Encyclopaedia Britannica beigesteuert), dann den kleinsten Stichling im Bach am Ende des Gartens, außerdem den Planeten Pluto, den neuen Schal, den Mrs. Dennison trug (sehr schwierig, denn er war nicht aus Seide, was tierisch, oder Kunstseide, was pflanzlich gewesen wäre, sondern aus gesponnenem Glas, also mineralisch – ein sehr gescheit gewähltes Objekt); versagt hatten sie beim Erraten der Radioansprache des Premierministers, die etwas unfair klassifiziert wurde, da man sich nicht schlüssig werden konnte, ob sie als tierisch angesehen werden müsse oder als eine Art Gas. Schließlich kam man überein, noch eine weitere Runde zu spielen und dann auf Verstecken überzugehen. Oswald Truegood verschwand im hinteren Salon und schloß die Tür. Während die anderen über das nächste Wort verhandelten, unterbrach plötzlich Sir Septimus das Hin und Her. „Margy", rief er seiner Tochter zu, „was hast du mit deiner Halskette gemacht?"

„Ich habe sie abgenommen, Papa, weil ich dachte, sie könnte bei der Scharade entzweigehen. Sie liegt drüben auf dem Tisch. Nein, da ist sie nicht. Hast du sie weggenommen, Mutter?"

„Nein. Aber wenn sie mir unter die Augen gekommen wäre, dann hätte ich's getan. Du bist ein unachtsames Kind."

„Ich glaube, du selbst hast sie genommen, Papa. Du willst mich ärgern."

Sir Septimus wies diese Beschuldigung energisch zurück. Alles geriet nun in Bewegung und begann herumzuschauen. Es gab in dem kahlen, blanken Raum nicht viele Stellen, an denen sich eine Halskette verstecken konnte. Nach zehn Minuten fruchtloser Jagd sah Richard Dennison, der am nächsten vom Tisch gesessen hatte, ziemlich unbehaglich drein.

„Peinlich, nicht wahr?“ bemerkte er zu Wimsey.

In diesem Augenblick streckte Oswald Truegood den Kopf durch die Flügeltür und fragte, ob sie sich nicht endlich auf etwas geeinigt hätten, er werde nämlich langsam nervös.

Das lenkte die Aufmerksamkeit der Suchenden auf den hinteren Raum. Margharita mußte sich irren: Sie hatte die Kette dorthin mitgenommen, und nun waren die Perlen irgendwie unter die Scharadenkostüme geraten. Das Zimmer wurde durchstöbert, jedes nur mögliche Ding hochgehoben und geschüttelt. Allmählich sah die Sache ernst aus. Nach einer halben Stunde verzweifelter Bemühungen wurde allen klar, daß die Perlen nirgends zu finden waren.

„Sie müssen irgendwo in diesen beiden Räumen sein“, sagte Wimsey.

„Der hintere Salon hat keine Tür nach außen, und aus dem vorderen Salon konnte sich niemand entfernen, ohne gesehen zu werden. Die Fenster allerdings ...“

Nein. Die Fenster waren alle an der Außenseite durch schwere Läden geschützt, zu deren Öffnen und Schließen zwei Diener benötigt wurden. Auf diesem Weg waren die Perlen nicht verschwunden. Eigentlich war überhaupt die Vorstellung, sie seien nicht mehr im Salon, sehr unangenehm. Denn ... denn ... William Norgate, tüchtig wie immer, sah der Konsequenz solcher Überlegung kühl und kühn ins Gesicht.

„Ich glaube, Sir Septimus, es wäre für alle Anwesenden eine Erleichterung, wenn wir durchsucht werden könnten."

Sir Septimus war entsetzt. Doch die Gäste stellten sich hinter Norgate. Die Tür wurde verschlossen und die Suchaktion durchgeführt – für die Damen im hinteren, für die Herren im vorderen Salon.

Sie erbrachte kein Resultat, ausgenommen ein paar sehr interessante Informationen über die Besitztümer, die der Durchschnittsmann und die Durchschnittsfrau gewöhnlich mit sich herumtragen. Es schien noch natürlich, daß Lord Peter Wimsey eine Zange besaß, eine Taschenlampe und einen kleinen zusammenlegbaren Zollstock – war er nicht der Sherlock Holmes der vornehmen Welt? Aber daß Oswald Truegood zwei Leberpillen in einem Papiertütchen bei sich hatte und Henry Shale eine kleine Ausgabe der Oden des Horaz, das kam überraschend. Und warum füllte John Shale die Taschen seines Gesellschaftsanzuges mit einem Klumpen roten Siegellacks, einem häßlichen kleinen Talisman und einem Fünfshillingstück? George Comphrey hatte eine zusammenlegbare Schere und drei eingewickelte Zuckerstücke, wie sie in Restaurants und Speisewagen serviert werden – Beweis für eine nicht ungewöhnliche Form der Kleptomanie –, aber daß der ordentliche, penible Norgate sich mit einer Rolle weißen Zwirns, drei verschieden langen Stücken Bindfaden und zwölf Sicherheitsnadeln auf einem Kärtchen ausstaffierte, schien wirklich bemerkenswert, bis jemand sich daran erinnerte, daß er das Anbringen der Weihnachtsdekorationen beaufsichtigt hatte. Richard Dennison brachte unter verlegenem Lachen ein Damenstrumpfband, ein Döschen Compactpuder und eine halbe Kartoffel zutage; die letztere, sagte er, sei ein Vorbeugungsmittel gegen Rheumatismus (an dem er litt), die anderen Sachen gehörten seiner Frau. Bei den Damen waren die eindrucksvollsten Fundstücke ein Büchlein über Chiromantie, drei durchsichtige Haarnadeln und ein Babyfoto (Miss Tomkins), eine chinesische Zigarettendose mit Geheimfach (Beryl Dennison); ein sehr privater Brief und ein Instrument zum Aufnehmen von Laufmaschen (Lavinia Prescott) und schließlich eine Augenbrauenpinzette und ein Päckchen weißes Pulver, angeblich gegen Kopfschmerzen (Betty Shale). Ein paar aufregende Augenblicke folgten, als Joyce Trivett aus ihrer Handtasche eine dünne Perlenschnur herauszog – aber dann erinnerte man sich prompt, daß diese Perlen aus einem Knallbonbon stammten, und sie waren denn auch tatsächlich synthetisch. Kurzum, mit der allgemeinen Durchsuchung hatte man nichts erreicht als genierte Gesichter und das Unbehagen, das immer entsteht, wenn man sich zu ungewohnter Tageszeit hastig aus- und ankleiden muß.

Irgendwer ließ nun, widerwillig und zögernd, das

schreckliche Wort „Polizei“ fallen. Sir Septimus war natürlich außer sich über diese Idee. Er fand sie abscheulich. Nie würde er das erlauben. Die Perlen mußten irgendwo sein. Man brauchte nur die beiden Räume noch einmal zu durchsuchen. Und könnte nicht Lord Peter Wimsey, bei seiner Erfahrung mit – hm – mysteriösen Ereignissen, ihnen irgendwie behilflich sein?

„Wie?“ fragte Seine Lordschaft. „O ja, beim Himmel, gewiß, gewiß. Das heißt, vorausgesetzt, daß niemand meint – äh, nicht wahr? – ich will sagen, Sie wissen doch nicht, ob ich nicht selbst verdächtig bin, wie?“

Lady Shale schaltete sich nachdrücklich ein. „Wir glauben nicht, daß irgend jemand verdächtigt werden sollte“, sagte sie. „Aber wenn wir schon solche Gedanken hätten, wüßten wir, daß Sie es nicht sein können. Sie wissen viel zuviel von Verbrechen, als daß Sie Lust dazu hätten, selbst eins zu begehen.“

„Schön“, antwortete Wimsey. „Aber nach dem, wie die Räumlichkeiten durchwühlt worden sind ...“ Er zuckte mit den Achseln.

„Ja, ich fürchte, Sie werden keinerlei Fußspuren finden können“, sagte Margharita. „Doch vielleicht haben wir etwas übersehen.“ Wimsey nickte.

„Ich will's versuchen. Bitte, bleiben Sie alle hier auf Ihren Stühlen im vorderen Salon sitzen. Alle bis auf einen von Ihnen – ich hätte lieber einen Zeugen für das, was ich tue oder finde. Sir Septimus – Sie sind der geeignetste, denke ich.“

Er dirigierte sie an ihre Plätze und begann einen langsamen Rundgang durch die beiden Räume; er untersuchte jede Möbelfläche, betrachtete die glattglänzende Metalldecke und kroch auf allen vieren in der bewährten Manier kreuz und quer über den schwarzen, spiegelnden Fußboden. Sir Septimus folgte ihm, er starrte mit, wenn Wimsey etwas anstarrte, er stützte die Hände auf die Knie, wenn Wimsey sich bückte, und schnaufte von Zeit zu Zeit laut vor Erstaunen und Kummer. So rückten sie langsam weiter wie ein Mann, der einen eifrig schnuppernden jungen Hund gemächlich auf der Gasse ausführt. Glücklicherweise erleichterte Lady Shales innenarchitektonischer Geschmack die Untersuchung; es gab kaum Winkel oder Ecken, in denen etwas versteckt sein konnte.

Sie kamen in den hinteren Salon, und hier wurden die Scharadenkostüme noch einmal peinlich genau inspiziert, doch ohne Ergebnis. Schließlich legte sich Wimsey flach auf den Bauch, um unter einen Schrank zu spähen, eines der wenigen Möbelstücke, die kurze Beine hatten. Irgend etwas schien dort seine Aufmerksameit zu fesseln. Er krempelte den Ärmel hoch und streckte den Arm in den Spalt, zappelte krampfhaft im Bemühen, weiter zu reichen, als es menschenmöglich war, holte dann aus seiner Tasche den zusammenlegbaren Zollstock und fischte mit ihm unter dem Schrank herum. Schließlich glückte es ihm, hervorzuholen, was er gesucht hatte.

Es war etwas sehr Kleines – ein Nagel, ein Stift.

Kein gewöhnlicher, sondern einer, wie ihn etwa die Entomologen benützen, um besonders kleine Schmetterlinge für ihre Sammlung aufzuspießen. Er war ungefähr zwei Zentimeter lang und so dünn wie eine sehr feine Nadel; er hatte eine scharfe Spitze und einen winzig kleinen Kopf.

„Meiner Seel!“ sagte Sir Septimus. „Was ist das?“

„Sammelt hier zufällig jemand Schmetterlinge oder Käfer oder sonst was?“ fragte Wimsey, während er, auf den Schenkeln hockend, den Stift besah.

„Ich bin ziemlich sicher: nein“, erwiderte Sir Septimus. „Aber ich will sie fragen.“

„Tun Sie's nicht.“ Wimsey neigte den Kopf und starrte auf den Boden, von dem ihm sein eigenes Gesicht nachdenklich entgegenblickte.

„Ich hab's“, sagte Wimsey. „So ist es ausgeführt worden. Alles in Ordnung, Sir Septimus. Ich weiß, wo die Perlen sind, aber ich weiß nicht, wer sie genommen hat. Vielleicht wäre es ganz gut – zur allgemeinen Beruhigung –, das noch herauszufinden. Erzählen Sie niemand, daß wir diesen Stift da gefunden oder überhaupt etwas entdeckt haben. Schicken Sie alle zu Bett. Verschließen Sie die Salontür und nehmen Sie den Schlüssel an sich; wir werden unseren Mann – oder unsere Frau – zur Frühstückszeit erwischen.“

„Du meine Güte“, sagte Sir Septimus äußerst verwirrt.

Lord Peter Wimsey überwachte in dieser Nacht sorgfältig die Salontür. Doch niemand näherte sich ihr. Entweder vermutete der Dieb eine Falle, oder er glaubte sicher, er könne die Perlen jederzeit wieder an sich nehmen. Wimsey aber hatte nicht den Eindruck, er vertue beim Warten seine Zeit. Er legte sich eine Liste der Leute an, die während des Spiels „Tier, Pflanze, Mineral" allein im hinteren Raum gewesen waren. Diese Liste lautete folgendermaßen:

Sir Septimus Shale
Lavinia Prescott
William Norgate
Joyce Trivett und Henry Shale (zusammen, weil sie behaupteten, sie seien ohne Hilfe unfähig zu raten)
Mrs. Dennison
Betty Shale
George Comphrey
Richard Dennison
Miss Tomkins
Oswald Truegood

Desgleichen machte er eine Liste der Leute, denen Perlen nützlich oder wünschenswert sein mochten. Leider stimmte diese zweite Liste fast ganz mit der ersten überein (Sir Septimus stets ausgenommen), und so half sie nicht viel weiter. Der Sekretär und die Sekretärin waren beide mit guten Referenzen engagiert worden, aber genau die hätten sie sich auch besorgt, wenn sie mit Hintergedanken hierhergekommen wären. Die Dennisons, das war bekannt, lebten von der Hand in den Mund. Betty Shale hatte mysteriöse weiße Pulver in der Handtasche, und man wußte, daß sie in der Stadt mit einer ziemlich fragwürdigen

Clique verkehrte, Henry war ein harmloser Bursche, aber Joyce Trivett konnte ihn um den kleinen Finger wickeln, und sie war, was Jane Austen „kostspielig und liederlich“ zu nennen beliebte. Comphrey spekulierte. Oswald Truegood erschien ziemlich regelmäßig in Epsom und Newmarket. Die Suche nach Motiven war nur allzu leicht.

Als ein Hausmädchen und ein Diener zum Saubermachen im Flur auftauchten, gab Wimsey seinen Beobachterposten auf, kam aber zeitig zum Frühstück. Sir Septimus mit Frau und Tochter waren noch vor ihm da, und eine gewisse Spannung lag in der Luft. Wimsey, der vor dem Kamin stand, machte Konversation über Wetter und Politik.

Nach und nach fand sich die ganze Gesellschaft ein, aber wie auf Verabredung wurde nichts von Perlen gesprochen, bis nach dem Frühstück Oswald Truegood den Stier bei den Hörnern packte.

„Nun“, sagte er, „wie kommt unser Detektiv voran? Haben Sie Ihren Mann erwischt, Wimsey?“

„Noch nicht“, antwortete dieser leichthin.

Sir Septimus sah Wimsey an, als erwarte er sein Stichwort, räusperte sich dann und griff in das Gespräch ein.

„Alles sehr unangenehm“, sagte er, „sehr unerfreulich. Hm. Bleibt nur die Polizei, fürchte ich. Ausgerechnet zu Weihnachten. Hm. Das ganze Fest verdorben. Kann das Zeug hier nicht mehr sehen“ – er machte eine Handbewegung zu den Grüngirlanden und dem bunten Papierschmuck an den Wänden.

„Wir nehmen alles herunter, hm, nicht wahr? Kein Herz mehr darin. Hm. Verbrennen das Ganze."

„Wie schade, wir haben uns so viel Arbeit damit gemacht", sagte Joyce.

„Ach, laß es, Onkel", sagte Henry Shale. „Du regst dich zuviel auf über die Perlen. Ich bin sicher, sie kommen wieder zum Vorschein."

„Soll ich nach James klingeln?" fragte William Norgate.

„Nein", unterbrach Comphrey, „wir wollen es selbst tun. Das gibt uns Beschäftigung und lenkt von unangenehmen Gedanken ab."

„Das stimmt", sagte Sir Septimus. „Fangen Sie nur gleich an. Der Anblick ist mir zuwider."

Wütend zerrte er einen großen Stechplamenzweig vom Kaminsims und warf ihn in die aufprasselnden Flammen.

„Das ist das Richtige", sagte Richard Dennison, „macht ein hübsches Feuerchen." Er sprang vom Tisch auf und riß das Mistelgrün vom Kronleuchter. „Los also! Noch einen Kuß für jemand, bevor es zu spät ist!"

„Bringt es nicht Unglück, wenn man die Zweige vor Neujahr herunternimmt?" gab Miss Tomkins zu bedenken.

„Unglück hin oder her! Wir räumen alles ab. Auch von den Treppen und im Salon. Jemand soll den Kram einsammeln."

„Ist der Salon nicht zugesperrt?" fragte Oswald.

„Nein. Lord Peter sagt, die Perlen seien weiß der

Himmel wo, aber nicht dort; so ist die Tür nicht mehr verschlossen. Stimmt's, Wimsey?"

„Gewiß. Die Perlen sind aus den beiden Räumen verschwunden. Ich kann noch nicht sagen, wie, aber ich bin dessen ganz sicher. Ich wette meinen guten Namen, daß sie – wo immer sie auch sein mögen – dort oben nicht mehr sind."

„Gut", antwortete Comphrey, „dann also los! Kommen Sie, Lavinia, Sie und Dennison bearbeiten den Salon, und ich übernehme den hinteren Raum. Mal sehen, wer schneller ist!"

„Aber wenn die Polizei kommt", sagte Dennison, „sollte dann nicht alles so bleiben, wie es ist?"

„Zum Teufel mit der Polizei!" donnerte Sir Septimus. „Die legt keinen Wert auf Grünzeug!"

Oswald und Margharita entfernten schon mit lautem Gelächter die Stechpalmenzweige und Efeuranken im Treppenhaus. Die Gesellschaft verstreute sich. Wimsey ging rasch die Treppe hinauf und in den Salon, wo das Zerstörungswerk mit großer Geschwindigkeit fortschritt; George hatte mit den anderen beiden zehn Shilling gegen ein Sixpencestück gewettet, daß sie mit ihrer Arbeit nicht vor ihm fertig wären.

„Sie dürfen nicht helfen", sagte Lavinia lachend zu Wimsey, „das wäre unfair."

Wimsey erwiderte nichts, aber er wartete, bis der Salon leer war. Dann folgte er den anderen in die Halle hinunter, wo im Kamin das Feuer loderte und Funken versprühte. Er flüsterte mit Sir Septimus, der sich daraufhin in Bewegung setzte und Comphrey eine Hand auf die Schulter legte.

„Lord Peter möchte mit Ihnen sprechen, mein Junge“, sagte er. Comphrey ging etwas widerstrebend, wie es schien, mit ihm.

„Mr. Comphrey“, sagte Wimsey, „ich denke, das hier dürfte Ihnen gehören.“ Er hielt ihm die Handfläche entgegen, auf der zweiundzwanzig feine Stifte mit kleinen Köpfen lagen.

„Geistvoll“, sagte Wimsey, „aber etwas weniger Geistvolles hätte seinen Zwecken besser gedient. Es war sehr ungünstig, Sir Septimus, daß Sie die Perlen gerade zu diesem Zeitpunkt erwähnten. Selbstverständlich hoffte er, daß der Verlust erst entdeckt würde, nachdem wir mit den Ratespielen aufgehört hatten. Beim Verstecken hätten die Perlen irgendwo im Haus verlorengegangen sein können, die Salontür wäre nicht zugesperrt worden, und er hätte seine Beute im gegebenen Augenblick wieder an sich nehmen können. Offensichtlich dachte er schon an die Möglichkeit eines Diebstahls, als er hierherkam, deshalb brachte er die Stifte mit; daß Miss Shale die Kette abnahm zum Scharadespielen, bot ihm die erwünschte Gelegenheit.

Er hatte schon früher hier Weihnachten gefeiert und wußte genau, daß ‚Tier, Pflanze, Mineral‘ zum Unterhaltungsprogramm gehören würde. Er brauchte nur die Halskette vom Tisch zu nehmen, als er an der Reihe war, in den hinteren Salon zu gehen, und er wußte auch, daß er mit mindestens fünf Minuten Alleinsein rechnen konnte, während wir alle über die Wahl des nächsten Wortes debattierten. So mußte er bloß die Perlen mit seinem Taschenscherchen von der Schnur schneiden, die Schnur im Kamin verbrennen und die Perlen mit den dünnen Stiften an dem Mistelzweig befestigen. Der Zweig hing oben am Kronleuchter, hübsch hoch, aber er konnte ihn leicht erreichen, wenn er auf den Glastisch stieg, der keinerlei Fußspuren verraten würde; und es war nahezu gewiß, daß niemand daran dachte, die Misteln nach ungewöhnlichen Beeren abzusuchen. Auch ich wäre nicht auf den Gedanken gekommen, wenn ich nicht diesen Stift gefunden hätte, der ihm hinuntergefallen war. Das brachte mich auf die Idee, daß die Perlen von der Schnur gelöst worden waren, und das übrige ergab sich dann leicht. Ich nahm die Perlen während der Nacht herunter; auch das Schloß war da, zwischen den Stechpalmenblättern festgesteckt. Hier ist alles. Comphrey muß heute morgen grausam erschrocken sein. Ich wußte, daß er unser Mann sei, als er vorschlug, die Gäste sollten selbst den Weihnachtsschmuck abräumen, und er wolle den hinteren Salon übernehmen – aber ich hätte gern sein Gesicht gesehen, als er zu dem Mistelzweig kam und die Perlen nicht mehr fand."

„Und all das reimten Sie sich zusammen, als Sie den Metallstift fanden?" fragte Sir Septimus.

„Ja, da wußte ich, wohin die Perlen gewandert waren."

„Aber Sie warfen nie auch nur einen Blick auf den Mistelzweig."

„Ich sah sein Spiegelbild in dem schwarzglänzenden Fußboden, und es fiel mir auf, wie sehr die Mistelbeeren Perlen glichen."

Oma S.

Der Hinterhalt oder Hamlets Rache

„Ein starker Sound, Hamlet! Ist das 'ne Rille?" Conny schrie gegen die Musik an und zappelte in seinem Sessel herum. Immer wieder spielte er an den Lautsprecher-Reglern des Plattenspielers herum.

„Ja", schrie Hamlet, „die Scheibe hat mir meine Schwester durchs Fenster geworfen!"

„Toll, das sprengt bald den Saphir", begeisterte sich Conny weiter. Er jonglierte mit den Bässen und stampfte rhythmisch mit seinem rechten Fuß.

„Conny! Stopp! Pssst!" Hamlet verschluckte sich dabei fast an seinem letzten Pssst ... „Ich glaube, es hat geklingelt."

„Was ist los? Ich versteh' dich so schlecht ..."

Hamlet ging mit einem großen, schlaksigen Schritt auf seinen Freund zu und zog einfach den Stecker raus. Der Sänger röchelte jetzt wie ein Ertrinkender.

„Du weißt doch, daß wir jemanden erwarten."

„Wird wohl kein Kulturbanause Güteklasse A sein, oder? Aber du hast recht, völlig amusisch und aus den Fugen geraten hängt da einer an der Glocke."

Conny stand auf und öffnete tänzelnd die Tür.

Schüchtern klemmte ein etwa 30jähriger Mann im Türrahmen und wußte mit den Händen nicht wohin. Er stammelte: „Ich bin Gustav. Bis ... bist du Hamlet?"

Conny antwortete amüsiert: „Der äußere Schein trügt. Ich heiße Conny. Hamlets Auftritt erfolgt stets gemäß gebührender Vorstellung. Also, komm schon rein, du wirst schon erwartet. Der erste Rang ist bereits ausverkauft. Ist deine Zahnbürste im Sturzhelm, oder hast du noch mehr Gepäck?"

Gustav versteckte verlegen seinen Helm hinter dem Rücken und meinte nur: „Für einen Tag schlepp' ich doch keinen Koffer rum."

Hamlet stand auf, ging auf den Schmalhans Gustav zu und drückte ihn mit seinen riesigen Pranken freundschaftlich in die nächstmögliche Sitzgelegenheit. Er klopfte ihm auf die Schulter und meinte wohlwollend: „Du bist also Gustav ..."

Gustavs Nervosität war angesichts dieses Kraftbündels wieder stärker geworden. „Ha...hab' ich doch gesagt. Pi...Pin...Pinsky ha ... mich g...ge... geschickt."

„Genau", erwiderte Hamlet, „eben dieser Pinsky hat sich mir gegenüber geäußert, daß dir fünfhundert D-Mark nicht übel zur Hand gehen würden." Hamlet räusperte sich und schaute in die Runde: „Ein Spezialauftrag! Da lass' ich nicht jedes Fingerchen dran."

„Um was geht es denn eigentlich? Ich muß ja wissen, worum es sich handelt. Ist es ein Botengang?" Die anderen Anwesenden schauten sich lächelnd an.

„Ja, so könnte man es nennen. Wir wollen einer guten alten Bekannten einen Wink geben." Conny schmunzelte.

Gustav gab eindeutig zu verstehen, daß er keine krummen Dinger drehen wolle. Ihm wurde von Conny und Hamlet versichert, daß es sich um nichts Unrechtes handele. „Wir wollen lediglich einer alten Lady, die Haare auf den Zähnen hat, einen Streich spielen. Und du sollst, dank deiner schauspielerischen Ader, die laut Pinsky in dir schlummern soll, uns dabei etwas unter die Arme greifen ... Ein Bierchen für das erstaunte Männchen?" ... und Hamlet lehnte sich in seinem knarrigen Stuhl zurück.

Gustavs linkes Augenlid zuckte nervös. Er verstand nicht ganz, was die beiden Männer von ihm wollten. Außerdem fiel ihm plötzlich sein im Hof abgestelltes Motorrad ein.

„Steht meine Maschine im Hof auch sicher?" Sollte die Antwort „nein" sein, würde Gustav sofort die Kurve kratzen. Ihm war nicht wohl bei der ganzen Sache.

Doch Conny lachte schallend: „Das ist ein ehrliches Haus. Die einzigen, die hier klauen und zappzarapp machen, sind wir."

Gustavs Augen schlossen und öffneten sich krampfhaft. Wo war er da nur hineingeraten? Er fühlte tausend Würmer in seinem Bauch. Und gleichzeitig spürte er, wie die Angst in ihm hochkroch, daß er da schon wieder in etwas hineingerutscht war. Ich bin ein Feigling, sagte er sich ... doch ... und er überlegte hin und her, die 500 Märker könnte ich schon brauchen ... „Wie seid ihr auf mich gekommen?" fragte er nach.

„Du hast zwei wichtige Voraussetzungen erfüllt. Erstens, du bist fremd hier, und die Alte kennt dich nicht, und zweitens, du wirkst so unglaublich ehrlich, Kopf hoch, trag's mit Fassung", und Hamlet holte wieder zu einem kräftigen, aufmunternden Schlag auf die schon leidgeprüfte Schulter von Gustav aus. Für Gustav bebte der Boden, und er hatte das Gefühl, als seien in ihm sämtliche Knochen seines Körpers in Einzelteile zersplittert.

Hamlet machte ein ernstes Gesicht und sagte beschwörend: „Eine alte Lady hebt den Hamlet nicht ein einziges Mal ungestraft mit dem Schirm aus den Schuhen ... Und genau das hat sie gemacht", und er bohrte seinen Finger in Gustavs Brust. „Und danach war es für die Polizei ein Kinderspiel, mich einzufangen."

„Ich halte nichts davon, alte Frauen zu betrügen."

„Du sollst doch nur deinem schauspielerischen Trieb freien Lauf lassen und der Dame eine kleine Komödie vorspielen. Hör mal zu ..." Und Gustav hörte zu!

„Adele, oooh Adele, du bist 'ne ganz Fidele ...", sang es kräftig in der zweiten Etage eines schönen und gepflegten Hauses in der Maria-Theresia-Straße 7.

Die da so fröhlich die eigene Namensvetterin besang, war niemand anderes als die Witwe des Kommissars Steglich. Sie dirigierte, ein Liedchen auf den Lippen, ihren Staubwedel über Schränke und Tische. Selbst ihr Mops Paulinchen wurde von der überschwenglichen Art nicht verschont, mit der Adele sauberzumachen pflegte.

Pauline hatte es sich auf ihrem Lieblingssessel bequem gemacht und sich hinter ihrem Lieblingskissen eingekuschelt. Doch ihr Frauchen kribbelte es heute, und die Hundedame bekam einen vorsichtigen Stups mit dem Staubwedel. Dabei trillerte Oma Steglich schadenfroh: „Pauline, ach Pauline ... du bist 'ne süße Biene."

Pauline kitzelte es, und sie begrub ihre drangsalierte Nase unter der rechten Vorderpfote. Die Augen blieben schlitzförmig in Wachstellung Richtung Oma Steglich. Da läutete die Türglocke. Schon beim ersten Ding-Dong drehte sich Oma Steglich verwundert um. Sie öffnete die Tür und fragte etwas verwundert ins Treppenhaus hinein: „Jaaa?"

Eine Männerstimme antwortete, ob er hier wohl richtig sei „bei Steglich". „Was soll die Frage, wer soll ich wohl sonst sein, junger Mann? Seh' ich etwa aus wie mein Enkel?" Der Mann draußen war verdutzt und schaute etwas hilflos an den Wänden hoch. „Aber Sie könnten die Schwester Ihrer Schwester sein."

Oma Steglich meinte darauf nur: „Na also, gar kein so unkluges Köpfchen unter diesem Scheitel. Nicht auf den Mund gefallen."

„Aber auf den Bauch", erwiderte Gustav trocken.

„Ach ... wie das? Klassisch?" wollte Oma Steglich genau wissen. „Banane, Schmierseife, Eimer, Besen, Rollschuhe, Fahrrad?"

„Klassisch: Ein Fahrrad raste auf mich zu, bewaffnet mit einem Menschlein von kindlich zerstörerischer Wut, ich nach links abdrehend, nicht sehend, daß da ein Besen liegt, tret' drauf, mir wird schwarz vor Augen, trete in einen Eimer mit Schmierseife! Ist das klassisch genug?"

Adele lachte so, daß ihr kunstvoll geschlungener Haarknoten die Haarnadeln einzeln ausspuckte. „Kompliment, aber jetzt weiß ich, was Sie wollen." Adele ließ sich nicht unterbrechen. „Eine Lebensversicherung wollen Sie mir aufschwatzen. Aber egal welche Versicherung, nicht mit mir! Wußte ich doch, daß um diese Zeit kein vernünftiger Mensch an meiner Tür klingelt. Vielleicht haben Sie nebenan Erfolg."

„Nein", beschwichtigte sie der Mann, „ich will Sie ganz privat sprechen."

„Dann kommen Sie herein. Haben Sie auch einen Namen?"

„Ich heiße Christoph Mailer mit ai."

„Wenn Sie Ihren Sturzhelm loslassen und sich ruhig hinsetzen, junger Mann, dann wird Sie mein Hund nicht für allzu gefährlich halten und sein Schläfchen fortsetzen."

Der Mann bemerkte erst jetzt den Hund. „Ein junger Boxer?"

„Nein, ein alter Mops", antwortete ihm Oma Steglich prompt. „Und jetzt möchte ich gerne wissen, was Sie zu mir führt." Und sie wies den Fremden energisch auf einen Stuhl.

„Also ... ich bin eigentlich nur der Bote.“

„Aha, will sich Ihr Auftraggeber nicht zu erkennen geben?“

„Oh“, sagte Herr Mailer, „mein Auftraggeber kennt und schätzt Sie. Eh ... wie könnte ich mich denn ausdrücken? Mmmmhh ... er will sich bei Ihnen für etwas revanchieren, das Sie ihm angetan ... eh ... haben zukommen lassen ... eh ... ja.“

Oma Steglich redete dem unsicheren Herrn Mailer gut zu und fragte noch einmal nach der Bewandtnis dieses Versteckspiels. Und so fuhr dieser fort: „Wenn Sie meinen Auftraggeber sehen, dürfen Sie ihn nicht erkennen.“

Oma Steglich schaute verdutzt. Aber noch ehe sie etwas sagen konnte, erzählte Herr Mailer weiter.

„Ich meine, Sie werden ihn sehen, aber Sie müssen so tun, als würden Sie ihn nicht kennen. Okay?“ Oma Steglich nickte ganz ruhig. „Aus bestimmten Gründen ist mein Auftraggeber gezwungen, die Wohnung einer alten Dame mit zwei Männern zu besuchen.“

Oma Steglich schaute eindringlich und fragend.

„Besuchen ist vielleicht nicht das richtige Wort, ich meine eher Beihilfe zum Diebstahl. Ja! Dazu wird er von seinen zwei Brüdern erpreßt, weil er Schulden hat.“ Der Mann hob beschwörend die Hände, er redete und redete, und das Stottern zu Beginn des Besuches fand sich in keinem Wort mehr wieder. „Sie müssen ihm helfen, dieses Vorhaben zu vereiteln. Sie müssen rechtzeitig auf der Matte stehen, entschuldigen Sie, ich meine vor Ort sein. Das Haus ist leer, keine Angestellten sind da, geschweige denn die Hausherrin. Sie sollen nur plötzlich Licht einschalten und die Eindringlinge in die Flucht schlagen. Die Burschen sind feige. Wie Kojoten treten sie nur im Rudel auf und verschwinden, wenn es gefährlich wird. Ich soll Ihnen diesen Nachschlüssel überreichen. Und notieren Sie sich: Sonntag! 19 Uhr und 45 Minuten! Heider Höhe 27 bei Kohlmann! ... Was, Sie schreiben nichts auf? Sie wollen nicht auf einen Hilferuf hören? Wollen keine Hilfe gewähren?"

„Oh, junger Mann, Sie haben da etwas viel von der Rolle gespult. Es klang fast wie auswendig gelernt. Ich muß erst einmal darüber nachdenken. Und dann, junger Mann, ich vergesse weder Namen noch Gesichter."

Herr Mailer stand schnell auf und hatte es eilig, sich zu verabschieden.

Oma Steglich, von denen, die sie kannten, einfach Oma S. genannt, holte sich ein Gläschen Rotwein und überlegte. Es kam ihr alles sehr merkwürdig vor, aber der Drang, wieder auf geheimnisvollen Spuren zu wandern, machte sie für dieses Vorhaben gefügig.

Kurze Zeit später.

Herr Mailer, alias Gustav, telefonierte mit Hamlet. Und er warnte ihn vor der Frau: „Unterschätze diese Alte nicht", er sprach ganz eindringlich in den Hörer. „Sie ist genau der Typ, der noch mit 80 Jahren kratzt, beißt und spuckt. Sie hat mir regelrechte Löcher ins Leder geguckt. Hoffentlich macht sie euch keinen Strich durch eure Rechnung."

Der bewußte Sonntag holte Adele schneller ein als jeder andere gewöhnliche Sonntag. Das Warten auf den Abend schien jede Stunde doppelt lang zu machen. Und während dieser ganzen Zeit waren ihre Gefühle mehr als zwiespältig. Da sie sich jedoch letztendlich als Retterin in einer mißlichen Lage ansah, bereitete sie ihr Fortgehen vor. Ihrer guten Seele, der Haushälterin Fräulein Fiedelius, rief sie in die Küche zu, daß sie noch einmal kurz fortgehe.

„Fräulein Fiedelius ...", weiter kam sie nicht, denn sie wurde vom Geräusch zerberstenden Geschirrs unterbrochen. Adele öffnete die Küchentür ganz und hörte Fräulein Fiedelius entnervt stöhnen: „Aaa, iiii, mein Gott, haben Sie mich aber erschreckt." Die Nasenspitze der Emsigen war ganz weiß.

„Warum sind Sie auch so schreckhaft? Ist doch nichts passiert ..." Adele schüttelte den Kopf.

„Es hätte aber etwas sein können", antwortete Fräulein Fiedelius daraufhin knurrig.

„Was nicht alles sein kann. Was machen Sie eigentlich noch? Sie haben doch längst Feierabend."

„Ich geh' auch gleich. Meine Schwester kommt heute erst später nach Hause."

„Seien Sie vorsichtig, Fräulein Fiedelius. Auf der anderen Straßenseite steht ein Mann an der Hauswand und scheint unser Haus zu beobachten ... Oder er lauert Ihnen auf ..."

„Mir? Machen Sie doch keine Späße. Oma S. Sie können mich schon lange nicht mehr erschrecken. Je unheimlicher etwas ist, um so wohler wird Ihnen." Heimlich und versteckt riskierte die treue Seele einen Blick durch den Gardinenspalt.

Oma Steglich rief ihr Paulinchen und marschierte lächelnd aus dem Haus.

Als sie das von Herrn Mailer beschriebene einsame Gebäude erreicht hatte, kam ihr doch der Gedanke, ob sie nicht zur falschen Zeit in den richtigen April geschickt worden war. „Pauline, was glaubst du?"

Das alte Gartentor erkannte sie an Hand der Beschreibung. Ein Kiesweg machte ihren sonst so festen Schritt in dieser Dunkelheit etwas unsicher. Eines fiel Adele sofort auf: Eine Gärtnerhand hatte in diese Flora schon lange nicht mehr hilfreich eingegriffen. Und das Gartentor hätte schon vor Urzeiten wieder einmal geölt werden müssen.

Vor der Haustür nahm Oma S. Paulinchen auf den Arm und steckte gespannt den Schlüssel in das Schloß. Als sie die Tür aufdrückte, kam ihr ein modriger Geruch entgegen. An der Wand, nach dem Lichtschalter tastend, hielt sie plötzlich inne. Pauline wimmerte etwas kläglich in ihrem Arm.

Niemand war anwesend, der dieses plötzliche dumpfe Poltern und das unterdrückte Rufen einer Frau hätte hören können ...

Zur gleichen Zeit. Ein anderer Schauplatz.

Hamlet und Conny hatten sich Zugang zur Wohnung der Polizistenwitwe verschafft. Ihre Blicke wurden angesichts der Beute, die sich da vor ihnen erschloß, immer strahlender. Meißener Porzellan, eine Briefmarkensammlung in einem Album, das allein schon eine Reise wert war, Goldmünzen ...

„Komisch“, meinte Conny dennoch enttäuscht, „zwei Fernseher, ein Radio ... aber wo sind der Schmuck und das Bargeld? Wir sind doch keine Möbelpacker.“ Hamlet rollte gerade einen Teppich zusammen. „Was willst du mit dem Lappen?“

„Dein Sachverstand gleicht einer leeren Tüte. Das ist ein Gebetsteppich. Hier, halt mal, ich muß schnell ein Schwätzchen mit deinem Freund und Helfer machen.“

„Hast du noch was vor, was wir nicht geplant haben?“

Hamlet winkte ab, griff zum Telefonhörer und wählte bedächtig die Nummer der Polizei. Er räusperte sich kräftig und zupfte sich Jackett und Krawatte zurecht.

„Allo ... allo“, rief er aufgeregt, „ist dort die Polizei? Isch möchte Ihnen mit ... teilen, daß isch soeben Zeuge eines eh ... wie ’eißt es ... geworden bin. Mir kommt der deutsche Wort nicht in den Sinn. Kommt vielleicht von Clou ... eh ... von klauen. Isch muß dringend weiter. Adress’ is ’eider ’öe 2–7. Au revoir, bonsoir.“

Als die Polizei endlich wußte, welche Adresse der anonyme Anrufer meinte, fanden sie lediglich Oma S., verpackt wie ein Frachtpaket. Entschnürt und entknebelt, bekam diese langsam wieder Farbe ins Gesicht.

„Kinder, bin ich froh, daß ihr mich gefunden habt.

Wer hat mich denn gehört?" Die Polizisten gingen ganz behutsam mit der alten Dame um. „Behandeln Sie mich nicht wie ein rohes Ei! Geschieht mir recht, daß ich eins auf die Mütze bekommen habe. Meine Gutgläubigkeit treibt ja schon Luftwurzeln. Mich schickt man, um einen Einbruch zu verhindern, und aus lauter Dummheit werde ich selbst zum Opfer. Hoffentlich trägt Paulinchen keinen bleibenden Schaden davon. Also, zeigt mir den Mann, der mich rufen gehört hat."

Adele schnaubte vor Wut, und erstickter Groll kroch ihr die Kehle hoch.

„Niemand hat Sie gehört", entgegnete Kommissar Weißeritz.

„Ach, und wie kommen Sie dann hierher? Geben Sie mir mal einen Stuhl zum Sitzen."

„Wir erhielten Mitteilung von einem Überfall."

„Überfall? Hier war kein Überfall. Sang- und klanglos wurde ich verschnürt. Das kann niemand mitbekommen haben. Absolute Dunkelheit. Und ich bin ja noch mit einem Schlüssel in das Haus. Nicht einmal ich, wo ich doch selbst betroffen war, könnte Ihnen über die Täter eine Aussage machen."

„Und wie kamen Sie dann zu dieser Adresse und zu diesem Schlüssel?"

„Durch einen Mann, den ich nie vorher gesehen habe."

„Würden Sie ihn wiedererkennen?"

„Sofort!" Und indem sie dies sagte, sank die Erregung von Oma S. wieder merklich in Richtung Nullpunkt. Ihre Stimme wurde ruhig, fast gelassen, und sie selbst strahlte plötzlich eine triumphierende Sicherheit aus.

Der Kommissar beobachtete diese Veränderung und wußte sie genau zu deuten. Oma S. war wie ein Jagdhund, der eine Fährte aufgenommen hatte. „Frau Steglich“, sagte er förmlich, „bitte verschweigen Sie uns keine Informationen. Und dann gehen Sie jetzt nach Hause und vergessen Sie diesen üblen Scherz. Wir finden schon alles heraus.“

„Wie recht Sie doch haben, Herr Kommissar. Ich ziehe mich jetzt zurück und knirsche ganz ohne Hintergedanken, aber voller Wut mit den Zähnen.“ Und mit Schalk in den Augen setzte sie noch hinzu: „Vielleicht ziehe ich mich endlich als Frau Steglich a. D. an die Fensterbank zurück.“

Wacklig und zittrig trat sie den Rückzug an. Doch kaum war die alte Dame um die Ecke gebogen, legte sie sicheren und energischen Schrittes ein paar Temposchritte zu.

Die Gedanken von Oma S. waren so mit der Aufklärung des Vorfalls beschäftigt, daß sie gar nicht so recht bemerkt hatte, wie sie überhaupt vor ihre eigene Haustür gekommen war. Sie wiederholte immer und immer wieder ein paar Buchstaben und ein paar dazugehörige Zahlen. Noch bis zu ihrer Wohnung murmelte sie diese halblaut vor sich hin. Für sie war klar, daß sie Opfer eines niederträchtigen Racheaktes geworden war. Aber wer steckte dahinter? Alle ihre Sinne waren auf diese Antwort geschärft.

Plötzlich lief es ihr eiskalt ... oder auch siedendheiß ... sie hätte es in diesem Moment nicht näher definieren können ... über den Rücken. Vor lauter Gedankenwirrwarr hatte sie erst jetzt bemerkt, daß ihr Haustürschlüssel lediglich eine halbe Umdrehung machen mußte, um die Tür zu öffnen. Hatte sie zu allem Unglück auch noch vergessen, die Tür abzuschließen? Nein! Unmöglich! So etwas war Oma S. noch nie passiert. Hastig machte sie Licht, und da sah sie, was passiert war. Sie schlug die Hand vor die Stirn, setzte sich auf den nächstbesten Stuhl, ließ Stock und Tasche aus den Händen gleiten und rief Paulinchen zu sich.

„Da, Paulinchen“, dabei verwies sie auf die Unordnung im Zimmer, „jetzt wissen wir mehr. Bei uns war offensichtlich Schlußverkauf! Diese Wüstlinge, diese Kreaturen ... eine alte Frau so zu betrügen. Aber wartet! Eine alte Frau braucht weniger Schlaf ... hat mehr Zeit zum Nachdenken, als ihr für möglich haltet! Ich nehme die Herausforderung an! Kein Stück wird mir verlorengehen! Ihr habt die Rechnung ohne mich gemacht ...“ Und während sie schimpfte, stand Oma S. auf, ging in die Küche und brühte sich einen Kräutertee. Dabei wartete sie vorsichtshalber auf die Spurensicherung, auf die sie allerdings bei weitem nicht so viel gab wie auf die Arbeit ihres eigenen Köpfchens.

Am nächsten Tag stand Oma S., entgegen der Ermahnung des Kommissars, vor einer ihr an sich fremden

Wohnungstür. Diese war mit einem Messingschild geziert, das den Namenszug „Brenner“ trug. Nach zweimaligem Klingeln öffnete eine Frau. Adele fragte nach einem Herrn Habermast.

Die Frau wurde überschwenglich in ihren Freudenbezeugungen, da sie Adele für die Tante Luise des Herrn Habermast hielt. Lange schon sei der Besuch dieser Tante angekündigt. „O Gottchen, da wird sich der gnädige Herr freuen. Er grämt sich ja allzuoft über das schwere Schicksal seines Lebens.“

Adele versuchte, dieses schnelle und dazu noch laute Geplappere zu stoppen. „Pssst. Es soll doch eine Überraschung sein“, flüsterte sie. „Und nun, gute Frau, sagen Sie mir doch, hat er pünktlich seine Miete bezahlt?“

Jetzt flüsterte auch die Frau und schaute sich dabei immer wieder über die Schulter, sich vergewissernd, ob sie noch alleine waren. „Im Moment geht's ihm gerade wieder so aus. Er hat eine Arbeit gefunden. Das letzte Zimmer links. Einen Tee, gnädige Frau?“

„Der wird Augen machen. Ihren Tee muß ich leider ablehnen. Aber vielleicht das nächste Mal.“

Adele klopfte an der letzten Tür links.

„Kommen Sie ruhig herein, Frau Brenner.“

Die Tür ließ sich nur knarrend öffnen. Stille beherrschte den Moment.

Gustav stand wie versteinert. Das Glas Wasser, das er absetzen wollte, blieb gerade noch um Haaresbreite auf der Tischkante stehen. Er mußte seine fünf Sinne erst wieder einzeln zusammensuchen.

„Welch ein Empfang. Wollen Sie mir keinen Platz anbieten?“

Gustav zeigte noch immer nichts, außer Entsetzen, gepaart mit körperlicher Erstarrung.

„Na denn, eine alte Frau hat es gelernt, sich selbst zu helfen ...“

Adele schaute sich im Raum um und schwang sich dann zielsicher in den bestgefederten Stuhl.

„Habermast, alias Christoph Mailer mit ai, beruhigen Sie sich. Nehmen Sie sich ein Beispiel an mir. Ich habe Sie vor meinem Gedächtnis gewarnt. Sie waren doch mit Ihrem Motorrad bei mir ... Das hat gewöhnlich eine Nummer, ja? ... He ...“ Sie tippte ihn mit den Fingern an. „Reagieren Sie nur auf Münzeinwurf? Warum haben Sie Ihre Bewährungszeit so aufs Spiel gesetzt?“

Gustav setzte sich. Schloß den Mund. Schluckte. Verschluckte sich an der Spucke. Wie ein Schulbub saß er da.

„Was hab' ich schon Schlimmes getan? Ich brauchte Geld. Und ein anderer wollte Ihnen einen kleinen Schrecken einjagen.“

„E . . . i . . . n . . . e . . . n Schrecken?“ Da wackelte Adeles Hut. „Guter Mann, ein Schreck kann tödlich sein! Wissen Sie überhaupt, was Sie getan haben?

Erstens: Beihilfe zur Freiheitsberaubung!

Zweitens: Beihilfe zum Einbruch!

Drittens: Beihilfe zum Diebstahl!

Viertens: Beihilfe zur Sachbeschädigung!

Fünftens: Beihilfe zur Irreführung der Behörden!

Ihre Freunde haben nämlich meine Wohnung geplündert!"

„Davon hab' ich nichts gewußt. Ich weiß gar nicht, wovon Sie sprechen. Ich habe Sie in ein leeres Haus gelockt. Stimmt. Aber mehr nicht."

Adele versuchte auf ihn einzureden. Versuchte ihm beizubringen, daß er nur Werkzeug für andere und deren hinterhältige Machenschaften gewesen war. Sie versprach, Gustav nicht zu verraten, wenn er dafür die Namen seiner Auftraggeber preisgab.

„Sie verraten mich wirklich nicht?"

„Versprochen!"

„Tommi Prinz ..."

„Mich trifft der Schlag! Tommi Prinz, genannt Hamlet."

Als Adele ging, versicherte sie Gustav noch, daß die Vermieterin in ihr seine Tante Luise vermutete.

Mit empörter Miene unterschrieb Adele Steglich das Polizeiprotokoll, in dem alle Einzelheiten ihres Abenteuers in der Villa und über den Einbruch in ihrer Wohnung festgehalten waren. Adele stimmte laut und deutlich zu, als Kommissar Weißeritz sich erkundigte, ob er mit ihrer Unterstützung rechnen könne. „Lassen Sie es bitte sein, auf eigene Faust zu arbeiten", sagte er daraufhin bestimmt.

Auf die Frage des Kommissars, ob Adele noch etwas zur Sache eingefallen sei, etwas, das die Fahndung nach den Tätern beschleunigen könnte, schüttelte sie nur voller Grimm den Kopf. Doch der Kommissar blieb mißtrauisch. Er hatte das Aufblitzen in den

Augen der alten Dame nicht übersehen. Und das, was blitzte, gehörte mehr zu Oma S. als zu Adele Steglich. Als das Objekt seines Nachdenkens nun so selbstsicher die Diensträume verließ, verspürte er eine eigenartige Beklemmung.

Die Tage vergingen. Tage, an denen Oma S. merkwürdig viel unterwegs war. Und das lag keineswegs am Fehlen des Fernsehapparates. Wer auch immer sie besuchen wollte, zog regelmäßig mit enttäuschter Miene wieder ab. Ganz gleich, ob er früh, mittags, nachmittags oder abends klingelte.

Auch die Nachbarin, Frau Immel, konnte nur noch mit den Schultern zucken. Sie beschwor, Frau Steglich seit mindestens einer Woche nur noch gehört, jedoch nicht zu Gesicht bekommen zu haben. Und so vergingen drei weitere Tage ...

In einer verrauchten Kneipe wartete Hamlet auf Conny. Kurz vor Mitternacht, eine Stunde später als erwartet, traf dieser endlich ein. Er entschuldigte sich damit, daß sein Wagen in einer Parklücke eingeklemmt gewesen war. Hamlet war ungeduldig. „Und wie sieht's aus?"

Conny grinste. „Alles paletti. Nach denen könnte man direkt die Uhr stellen. Die halten sich so strikt an den Zeitplan und den Uhrzeiger, daß man das fast als ‚Beihilfe' auslegen könnte. Keine zusätzliche Kontrolle, alles genauso wie bei dir."

Hamlet schüttelte den Kopf. „Das gibt's nicht. Ein ganzes Kaufhaus und nur zwei Nachtwächter."

„Du bist vielleicht überspannt. Sind es zu viele, kriegste das Muffensausen, sind's zuwenig, kommste im Kopf damit nicht klar."

„Übrigens, ich hab' mit Mooler telefoniert. Er würde uns die Optik und die Elektronik abnehmen. Und ... hör zu, Conny ... auch den Schmuck!"

„Was heißt würde? ... Er wird!"

„Okay. Also ... Morgen ist es soweit."

Der nächste Abend ... Der Wächter des Kaufhauses wollte gerade seine Runde beginnen, als das Telefon klingelte. „Kaufhaus am Steinplatz, Leitstand."

Am anderen Ende meldete sich Conny mit „Polizeirevier 4 – Augenblick, ich verbinde Sie mit Kriminalkommissar Horn."

„Horn, mit wem spreche ich?"

„Dotzner, mit Dora vorn und Tee in der Mitte."

„Regen Sie sich bitte nicht auf, wir sind soeben davon in Kenntnis gesetzt worden, daß zwei bewaffnete Gangster sich bei Ihnen haben einschließen lassen. Wo befindet sich Ihr Kollege, Herr Dotzner?"

„Hier bei mir. Bewaffnet, sagen Sie?"

„Ja, verlassen Sie ab sofort nicht mehr den Leitstand. Führen Sie keine Telefonate, damit die Leitung frei bleibt für uns. Es ist bereits ein Mannschaftswagen zu Ihnen unterwegs. In spätestens 10 Minuten ist der gesamte Warenhauskomplex umstellt. Ich selbst komme, ohne Sirene, mit einigen meiner Leute direkt zu Ihnen. Öffnen Sie bitte erst, wenn Sie zwei Schläge am Eisentor hören! Alles klar?"

„Alles klar. Kommen Sie schnell!"

Hamlet schmiß sich lachend in sein Auto und gab das Kommando zum Start.

Sobald die Wächter das Tor hinter sich und den angeblichen Polizisten wieder geschlossen hatten, wurden sie von Conny und Hamlet überwältigt, gefesselt und mit einem Klebeband mundtot gemacht.

„Hier", Hamlet drehte das Radio auf. „Eine kleine Nachtmusik gefällig?"

Einer der Wächter strampelte und stieß dumpfe Laute aus. „Was meint er?" fragte Conny. „Das wird wohl ewig sein Geheimnis bleiben; komm, wir müssen was arbeiten."

Minutenlang lagen die Wächter hilflos gefesselt am Boden. Da – plötzlich flüsterte es aus einer Ecke: „Pssst!!! Bleiben Sie ruhig, wenn ich Ihnen die Klebebänder abnehme ... Soo ... ganz vorsichtig ..."

„Träume ich?" fragte der Wächter Dotzner.

„Sie träumen nicht. Wo ist eine Schere? Diese Stricke schaffen auch meine dritten Zähne nicht mehr."

„Wo kommen Sie überhaupt her?"

„Aus der Damenoberbekleidung. Ich habe die zwei an mir vorbeigelassen."

„Sie wußten von dem Überfall?"

„Ja, aber jetzt Ruhe!"

„Warum haben Sie das nicht der Polizei mitgeteilt? Das wäre doch wohl viel sicherer gewesen."

„Die holen wir uns noch zur Verstärkung."

Als Hamlet und Conny schwer bepackt zurückkamen, wollten sie, wie beabsichtigt, die Knebel der Wärter entfernen ...

„Hoppla. Die Kleber sind weg ...“, rief Hamlet erschreckt, „und das Radio ist auch ausgeschaltet ...“

Da trat Oma S. aus einem Schrankschatten hervor und lachte: „Dabei war ich den Herren etwas behilflich.“

Conny ließ alles fallen. „Ich werd’ verrückt, die Alte ...“ Hamlets Schweißperlen glitzerten, und enttäuscht und entrüstet preßte er heraus: „Oma S. ... das ist ja ein Alptraum. Diesmal falle ich über keinen Schirm.“

Rrrummmssss ... „Aber über eine Stufe! Hamlet, gib’s auf. Es ist alles sinnlos, du sitzt in der Falle.“

„Ich sage kein Wort, und hören tue ich ab sofort auch nichts mehr.“

„Aber, aber, Hamlet, du bist mir noch ein paar Adressen schuldig.“

„Adressen?“

„Ich stelle fest: Gehör noch intakt. Ja, die Adressen, wohin du mein Eigentum gebracht hast.“

Später wandte sich Adele an den Kommissar. „Rufen Sie mich bitte an, wenn Sie fündig geworden sind. Das wäre nett. Also, bis zum nächsten Mal. Paulinchen braucht mich mal wieder ...“

Edgar Wallace

Der Club der Vier

Der äußeren Erscheinung nach machte Douglas Campbell einen wenig freundlichen Eindruck. Er war etwa achtundvierzig Jahre alt, groß und breitschultrig. Wahrscheinlich schrieb man ihm deshalb ein düsteres Temperament zu, weil seine starken Augenbrauen in der Mitte zusammengewachsen waren. Er war erster Direktor der Vereinigten Versicherungsgesellschaften und als solcher von Natur aus nüchtern und sachlich.

An einem sonnigen Frühlingsmorgen saß er in seinem Büro am Schreibtisch und las einen Brief. Nach einer Weile schaute er auf und sah nach der Uhr.

„In ein paar Minuten muß Mr. Robert Brewer hiersein", sagte er zu seinem Sekretär. „Führen Sie ihn in mein Büro, und sorgen Sie dafür, daß wir während unserer Besprechung nicht gestört werden."

„Sehr wohl."

Es klopfte gleich darauf an der Tür, und ein Angestellter reichte eine Visitenkarte herein.

„Mr. Brewer ist soeben gekommen", sagte der Sekretär.

„Lassen Sie ihn eintreten."

Mr. Robert Brewer war jung und elegant gekleidet. Man sah ihm an, daß er in guten Kreisen verkehrte und sich in jeder Gesellschaft bewegen konnte. Seine Bewegungen waren geschmeidig, und er machte einen frischen, flotten Eindruck, der ganz zu seinem jugendlichen Aussehen paßte.

Mit ausgestreckter Hand ging er auf Campbell zu.

„Mein lieber, guter Direktor, ich sehe an Ihrem freudestrahlenden Gesicht, daß Sie froh sind, mich begrüßen zu dürfen."

„Das weiß ich allerdings nicht so genau, aber nehmen Sie bitte Platz." Der Direktor gab dem Sekretär einen Wink, worauf dieser das Zimmer verließ. Dann wandte sich Campbell wieder seinem Besuch zu. „Sie sehen heute morgen wirklich glänzend aus."

„Das glaube ich schon", entgegnete Mr. Bob Brewer befriedigt. „Ich fühle mich auch dementsprechend. Nun wollen wir aber über geschäftliche Dinge reden. Sie haben mich wahrscheinlich nicht von New York hierherkommen lassen, nur um mir ein Kompliment zu machen."

„Sie sind wirklich smart, ich bewundere Sie. Wenn ich in meiner Jugend ebenso energisch, kühl und vorurteilslos gewesen wäre wie Sie, besäße ich heute Millionen."

„Na, zwei haben Sie doch mindestens, während ich nur ein armer Teufel und Versicherungsdetektiv bin, dem es schwerfällt, sich durchzuschlagen."

Mr. Campbell zog den Stuhl näher an den Tisch heran und sprach jetzt etwas leiser. „Bob, die Direktoren dreier uns angeschlossener Gesellschaften haben mir den Rat gegeben, Sie kommen zu lassen. Unser Syndikat besteht aus sechs der größten Versicherungsfirmen Englands, und es handelt sich bei uns meistens um Versicherung gegen Diebstahl, Unfall und so weiter. Sie kennen ja das Geschäft in- und auswendig, darüber brauche ich Ihnen nichts zu erzählen, da Sie ja früher selbst in der Branche tätig waren."

Bob nickte.

„Wir versichern die Leute der vornehmen Gesellschaft gegen Torheit und Fahrlässigkeit", fuhr Mr. Campbell fort. „und das Geschäft hat sich nicht recht bezahlt gemacht. Bob, Sie kennen ja unsere Gesellschaft, Sie wissen, wie diese Leute leben. Von einem Modebad reisen sie ins andere und müssen bei allen Gesellschaften dabeisein. Man kann sie fast mit einer Herde Schafe vergleichen. Und es folgt ihnen eine kleine Armee von Parasiten, die von dem Reichtum und der Dummheit unserer Kunden leben und uns viel zu schaffen machen. Wenn wir nicht den Bankrott erklären sollen, müssen wir ihnen mit aller Energie entgegentreten."

Brewer nickte.

„Dazu brauchen wir aber einen Spezialisten, der diese Schafherde bewacht und zusieht, daß die Wölfe sie nicht zerreißen. Wir bieten Ihnen ein sehr gutes Gehalt an, damit Sie diesen Posten für uns übernehmen; und abgesehen davon erlauben wir Ihnen auch noch, Privataufträge auszuführen, die Sie nebenbei erledigen können. Ist Ihnen das recht?"

„Das hängt ganz davon ab, was Sie unter einem sehr guten Gehalt verstehen", entgegnete Bob grinsend. „Gewöhnlich bekommt ein Detektiv für einen solchen Posten drei- bis vierhundert Pfund im Jahr."

„Wir sind bedeutend großzügiger. Wenn ich Ihnen ein Gehalt anbiete, so hat es eine – vierstellige Zahl."

Brewer sah ihn ruhig an und nickte.

„Dann machen Sie bitte eine Notiz, daß ich bei Ihnen engagiert bin."

Campbell ging zur Tür und drehte den Schlüssel um.

„Ich will Ihnen nun den Verbrecher nennen, der uns am meisten zu schaffen macht. Es ist der Führer des Klubs der Vier – Reddy Smith."

Bob mußte lachen.

„Von dem brauchen Sie mir nichts zu erzählen. Wenn man in New York lebt, kennt man ihn."

„Kennt er Sie auch?" fragte der Direktor schnell.

„Nein, wir sind uns niemals geschäftlich begegnet, aber ich kenne ihn trotzdem. In New York habe ich auf dem Gebiet der Handelsversicherung gearbeitet: Veruntreuungen und dergleichen. Reddys Hauptgeschäft bestand darin, daß er faule Aktien von Scheingründungen an die reichen Landwirte im Westen verkaufte. Ich habe ihn in einem Gefängnis gesehen, aber ich glaube kaum, daß er mich kennt. Vor einem Jahr war ich hinter ihm her, ehe er nach Europa kam."

Mr. Campbell nickte.

„Was ich über ihn weiß, habe ich von der Polizei. Er hat mit einer Anzahl geriebener Burschen in Frankreich zusammengearbeitet, aber man konnte ihm nie etwas nachweisen, obwohl allgemein bekannt ist, daß er an zwei der größten Einbrüche beteiligt war. Soviel ich weiß, hält er sich jetzt in Monte Carlo auf. Unglücklicherweise sind auch mehrere unserer Kunden dort."

„Welche Hilfe kann ich von der französischen Polizei erwarten?" fragte Bob.

Der Direktor zog die Schublade auf und nahm ein kleines Heft heraus.

„Hier ist Ihre Vollmacht, die von dem französischen Innenminister unterzeichnet ist, ebenso vom Staatsminister von Monaco. Die Behörden dieses kleinen Staates bemühen sich eifrig, die Verbrecher von dort fernzuhalten."

Bob nahm das Heft an sich, blätterte es kurz durch und ließ es in die Tasche gleiten.

„Reisen Sie möglichst bald nach Ihrem neuen Bestimmungsort. Wir setzen voraus, daß Sie in den besten Hotels wohnen."

„Darauf können Sie sich verlassen", erwiderte Bob. „Übrigens noch eine Frage. Bekomme ich mein Gehalt im voraus, und wann kann ich es abheben?"

„Ich kannte Ihren Vater", entgegnete Campbell. „Er war ein zäher, sparsamer Schotte. Auch Ihre Mutter hielt Geld und Eigentum zusammen, aber Sie sind ein verschwendungssüchtiger Engländer geworden. Soll ich Ihnen einen kleinen Vorschuß zahlen?"

„Wovon soll der Schornstein sonst rauchen?" fragte Bob. „Ich werde mir sechs Monate Gehalt im voraus zahlen lassen, dann teile ich Ihnen mit, wieviel ich für meine außerordentlichen Ausgaben brauche. Auf der Durchreise bleibe ich ein paar Tage in Paris, und wie Sie wissen, ist das ein kostspieliges Pflaster."

Mr. Campbell seufzte und schrieb einen Scheck aus.

Zwei Herren saßen vor dem Café de Paris in Monte Carlo. Beide waren elegant gekleidet, glattrasiert und machten einen weltmännischen Eindruck. Welchem Land sie angehörten, konnte man ihnen nicht ansehen, aber wahrscheinlich waren sie beide Amerikaner.

Der ältere der beiden rauchte nachdenklich eine Zigarre und nickte.

„Ich habe ihn noch nie getroffen, aber schon viel von ihm gehört", sagte er. „Jimmy, hier in Monte Carlo wird es vom nächsten Montag ab nicht mehr sicher sein. Ich halte es deshalb für das beste, daß wir am Sonntag abreisen. Inzwischen können wir noch vier Tage ungestört arbeiten. Wie sieht denn eigentlich dieser Brewer aus?"

Jimmy zuckte die Schultern.

„Keine Ahnung. Ich weiß ebensowenig wie du."

„Bist du auch sicher, daß er kommt?" fragte Reddy.

„Natürlich", erklärte Jimmy mit Nachdruck. „Als ich heute morgen meine Briefe abholte, habe ich das Telegramm gesehen, in dem er seine Zimmer bestellt hat. Es war in Paris aufgegeben, und er hat sich die teuersten und besten Zimmer reserviert mit dem

Blick auf den Eingang zum Kasino. Am Montag wollte er ankommen, aber wenn er nicht eintreffen sollte, möchte er die Zimmer bis zu seiner Ankunft reserviert haben."

Reddy nickte.

„Wir haben also noch vier Tage, und ich glaube, daß uns die Sache gelingen wird", fügte er zuversichtlich hinzu. „Der kleine William sieht so aus, als ob er tatsächlich zahlt."

Er wies mit einer Kopfbewegung nach dem Eingang des Hotels. Ein elegant gekleideter Herr stand dort auf der breiten Treppe. „Man kann schon von hier aus sehen, daß der Kerl ziemlich viel Wolle hat. Eine Bekanntschaft mit dem ist so gut wie Bargeld."

„Wie heißt er eigentlich? Ich sah, daß du gestern abend im Kasino mit ihm sprachst."

„William Ford. Sein Alter hat mit Erdölaktien schweres Geld verdient. Als er starb, ließ er seinem Willie eine ganze Wagenladung Geld zurück. Und der will sich nun erst austoben, vorher scheint er nicht viel vom Leben gehabt zu haben."

„Wofür hast du ihn denn interessiert?"

„Ich habe ihm von der Montana-Silbermine erzählt. Er war sofort Feuer und Flamme. Wir wollen zu ihm gehen, damit ich dich vorstelle."

Mr. Ford hatte die Hände in den Taschen und rauchte eine Zigarette. Die Schönheit der Palmen und der Gegend schien keinen Eindruck auf ihn zu machen. Langsam ging er über die breite Straße, durch die Anlagen, kaufte sich bei dem kleinen Kiosk eine Zeitung und kehrte zur Gartenterrasse des Hotels zurück, die dem Kasino gegenüberlag. Dort sprach ihn Reddy an.

„Guten Morgen, Mr. Ford. Ich möchte Sie mit meinem Freund Mr. Kennedy bekannt machen. Er kommt aus Texas, besitzt dort große Farmen.“ Mr. Ford kniff die Augen zusammen und sah den Fremden an, dann reichte er ihm nachlässig die Hand.

„Guten Morgen“, sagte er zu Reddy, „es ist sündhaft heiß, und ich kann diese blödsinnigen französischen Zeitungen nicht lesen. Verstehen Sie diese Sprache?“

„Gewiß, Mr. Ford.“

Reddy nahm die Zeitung und sah flüchtig hinein. „Es steht aber heute nichts Besonderes darin. Höchstens wenn Sie sich für die französischen Rennen interessieren, können Sie interessante Nachrichten finden.“

„Nein, ich mag keine Rennen. Das ist auch so ein Blödsinn“, erklärte Mr. Ford, während er umständlich das Glas ins Auge klemmte. „Ich bin, wie Sie wissen, ein Geschäftsmann, Mr. Redwood. Wetten mag ich nicht. Ich habe zwar ein paar tausend Dollar beim Roulette riskiert, aber im Grunde genommen langweilt mich das Spiel.“

„Da haben Sie auch vollkommen recht“, meinte Redwood. „Es ist eine ganz dumme Art, sein Geld zu vertun.“

„Selbstverständlich“, entgegnete Mr. Ford etwas von oben herab, „kann ich es mir leisten, Geld zu verlieren. Ich habe eine Million Franc in barem Geld mitgebracht."

„Hoffentlich haben Sie die im Hotelsafe einschließen lassen", warnte ihn Reddy. „Es gibt eine Menge zweifelhafter Existenzen in Monte Carlo."

„Ach, da mache ich mir keine übertriebenen Sorgen. Ich sage immer: Wenn ein Mann nicht einmal auf sein bißchen Geld aufpassen kann, dann verdient er auch nicht, es zu besitzen. Nein, ich verwahre mein Geld stets in meinem Hotelzimmer."

Mr. Reddy holte tief Atem.

„Ich bin nicht nach Monte Carlo gekommen, um erst zu lernen, wie man sich gegen Diebstähle sichert", sagte Mr. Ford. „Aber nun sagen Sie mir, was Sie für ein fünftel Anteil an Ihrer Mine haben wollen."

„Ich habe mir noch nicht recht überlegt, ob ich verkaufe", entgegnete Reddy. „Eigentlich bin ich nach Monte Carlo gekommen, um mich zu erholen und nicht, um mit Aktien zu handeln."

„Ja, das tun Sie zu Hause schon zur Genüge, Mr. Redwood", mischte sich Jimmy ein, weil er glaubte, etwas zur Unterhaltung beisteuern zu müssen. „Mr. Redwood ist von Colorado bis nach Montana als der bedeutendste Mineninteressent bekannt. – Ich habe gehört, daß Sie im Jahr bis zu fünf Millionen Dollar in Aktien umsetzen – stimmt das, Mr. Redwood?"

„Ja, ungefähr, vielleicht nicht ganz so viel."

Der junge Mann sah ihn freundlich lächelnd an. „Mich können Sie nicht bange machen, wenn Sie mit den Millionen nur so um sich werfen. Soviel ich weiß, beträgt der Wert Ihrer Montana-Mine etwa eine Million Dollar, das sind zweihunderttausend Pfund. – Und Sie wollen vierzigtausend Pfund für ein Fünftel haben?"

Mr. Redwood nickte.

„Die Aktien stehen auf zwei fünfzig am offenen Markt, und der fünfte Teil ist bedeutend mehr wert als das Geld, das ich dafür haben will. Ich habe mich schon zu sehr abgearbeitet in meinem Leben und möchte mich einmal ausruhen und etwas erholen. Deshalb habe ich die Absicht, alle meine Aktien abzustoßen. – Jimmy", wandte er sich an den Großfarmer, „dieser Herr möchte einen Anteil an der Montana-Silbermine kaufen. Er ist ein Geschäftsmann, und ich muß sagen, daß ich ihn schätze."

„Aber Sie werden doch nicht Ihren Anteil an der Montana-Mine verkaufen!" sagte Jimmy. „Es ist die ergiebigste im Westen. Es wird eine Sensation geben, wenn das in Wall Street bekannt wird."

Reddy antwortete nicht, nahm aber aus seiner Brusttasche ein dickes Paket. Er öffnete es, es befanden sich Aktien darin, alle mit Stempel und Siegel versehen. Er betrachtete sie lächelnd, fast wehmütig.

„Wenn ich bedenke, wieviel Mühe es mich gekostet hat, diese Mine zum Erfolg zu bringen, dann tut es mir leid, mich von diesen Papieren zu trennen. Mr. Ford, ich gebe sie Ihnen wirklich für eine Bagatelle. Es ist ungefähr derselbe Betrag, den Sie nach Monte Carlo mitgebracht haben, um ihn eventuell hier im Spielkasino zu verlieren."

„Aber ich habe mich bisher noch nicht fest entschlossen, die Aktien überhaupt zu kaufen", erklärte Mr. Ford hastig.

„Und ich habe mir auch noch nicht überlegt, ob ich sie tatsächlich hergeben werde", lächelte der andere. „Wir wollen erst etwas zusammen trinken."

Er war viel zu erfahren, um sein Opfer zum Ankauf zu drängen, und während der beiden nächsten Tage erwähnte er nichts von den Aktien.

„Die Zeit drängt", sagte Reddy am Sonnabend.

„Wie weit bist du denn mit dem jungen Ford?" fragte Jimmy.

„Er hat angebissen, aber es sieht so aus, als ob es noch ein paar Tage dauert, bis wir das Geschäft erledigt haben. Ich habe im Spielsaal mit ihm gesprochen, und dabei haben wir uns gegenseitig allerhand anvertraut. Ich sagte ihm, daß ich mein Geld immer unter dem Kopfkissen aufbewahre und es heute morgen einzustecken vergaß. Er entgegnete darauf, daß er sein Geld gewöhnlich in der Kommode aufbewahre, zwischen seinen Kleidern. Wenn er heute die Aktien nicht kauft, nehmen wir ihm in der nächsten Nacht das Geld ab. Wir brauchen deshalb unsere Schlafwagenkarten nicht verfallen zu lassen. Aber wir werden Monte Carlo auf einem anderen Weg verlassen."

„Wieso?" fragte Jimmy.

„Ich habe ein Auto aus Nizza bestellt, das uns um zwei Uhr morgen früh bei der Post abholen soll. Wir fahren nach Marseille, von dort geht es weiter nach

Narbonne und dann über die Grenze nach Spanien. In Barcelona warten wir einige Zeit. Ich habe bereits ein anderes Auto telegrafisch bestellt, das uns Sonntag nachmittag in Marseille am Hotel d'Angleterre erwartet."

„Sehr gut."

„Dein Zimmer liegt an demselben Korridor wie das von Mr. Ford, und es ist ziemlich leicht, von einem Balkon zum anderen zu klettern. Außerdem schläft er bei offenem Fenster. Ich werde von dort in das Zimmer eindringen und dann die Tür öffnen. Darauf kommst du herein. Sollte er irgendwelchen Spektakel machen wollen, dann müssen wir ihn zur Ruhe bringen. Sicherlich sind wir mit dem Wagen schon kurz vor Mittag in Marseille."

Sie schlenderten durch die große Pfeilerhalle und betraten den Spielsaal. Während der nächsten halben Stunde gingen sie von Tisch zu Tisch und beobachteten Ford beim Spiel. Er setzte ab und zu hundert Franc auf eine Nummer, aber er schien sich nicht für das Spiel zu interessieren.

Schließlich sah er die beiden Amerikaner und schaute sie mitleidig lächelnd an.

„Ein furchtbarer Unsinn zu spielen. Wir wollen von hier fortgehen. Man ärgert sich nur, wenn man sieht, wie die Leute ihr Geld verschleudern."

Sie folgten ihm, und er ging wieder zu seinem Lieblingsplatz auf der anderen Seite der Hotelterrasse.

„Ich habe mir die Sache mit der Silbermine noch

einmal durch den Kopf gehen lassen. Ich kann mich doch noch nicht entschließen, sie zu kaufen, denn ich dachte daran, daß Montana weitab liegt und ich nichts von Bergwerken verstehe."

„Davon brauchen Sie auch nichts zu verstehen", meinte Reddy. „Sie haben weiter nichts zu tun, als in Ihrer schönen Wohnung in London stillzusitzen und zu warten, bis die Dividenden ausgezahlt werden."

„Gut und schön. Wenn sie nun aber nicht eintrudeln, was dann? Ich werde Ihnen sagen, was ich tue. Ich schreibe meinem Freund, einem Börsenmakler, der ein sehr gescheiter Kerl ist. Der führt alle meine geschäftlichen Transaktionen durch, und der soll mir telegrafisch einen Rat geben. Schließlich kommt es ja auf einen kleinen Aufschub nicht an, Mr. Redwood."

„Durchaus nicht. Und wenn Sie nun eine günstige Auskunft erhalten, wie es nicht anders zu erwarten ist, geben Sie mir dann einen Scheck?"

„Nein, dann zahle ich in bar."

„Ach, ich dachte, Sie hätten das Geld inzwischen auf die Bank gebracht", entgegnete Mr. Redwood erleichtert.

„Wo denken Sie hin! Ich sage doch immer, wenn ein Mann nicht einmal auf sein bißchen Geld aufpassen kann, verdient er nicht, es zu besitzen. Übrigens habe ich ein Telegramm erhalten von einem gewissen Brewer. Eine ziemliche Unverschämtheit. Der Mann gibt mir den Rat, nichts zu unternehmen, bis er mich gesprochen hat. Wer, zum Kuckuck, ist denn dieser Brewer?"

„Einer der gerissensten Verbrecher, die es zur Zeit in Europa gibt", erwiderte Mr. Redwood ernst. „Sobald der sich für etwas interessiert, ist die Sache so gut wie verloren."

„Das ist doch aber ein starkes Stück. Meinen Sie, ich sollte die Polizei benachrichtigen?"

„Ach, das ist vollkommen unnötig." Reddy mußte heimlich lachen.

Der junge Ford sah nach der Uhr.

„Ich fahre nach La Turbie. Wollen Sie mich begleiten?"

„Sehr liebenswürdig", entgegnete Reddy, „aber ich habe heute nachmittag noch viel zu tun."

Reddy studierte Autokarten und Fahrpläne. Er mußte an einen vom Klub der Vier, der augenblicklich in Montdidier weilte, ein Telegramm aufgeben, denn er brauchte von ihm einen Paß, mit dem er über die Grenze kam. Auch mußte er seine Sachen packen und noch einmal nach dem Zimmer von Mr. Ford sehen.

Soviel hatte er bereits festgestellt, daß es bei Tag unmöglich war, in den Raum einzudringen. Mr. Ford hatte mit dem Hotelbesitzer vereinbart, daß während seiner Abwesenheit ein Mann auf dem Gang vor seiner Tür Wache stand. Über Nacht wurde dieser Posten eingezogen. Jedes einzelne Hotelzimmer hatte einen langgestreckten Balkon, und zwischen den einzelnen Balkonen bestand ein Zwischenraum von etwa sechzig Zentimetern, der für einen gewandten Mann weiter keine Schwierigkeiten bot. Geduldiges Abwarten war eine ihrer Hauptstärken, und so rührten sie sich nicht eher, als bis es an der Zeit war. Als Reddy nach Mitternacht auf seinen Balkon hinaustrat, war unten niemand zu sehen. Er rauchte eine Zigarette, dann kletterte er über das eiserne Geländer, und in kurzer Zeit hatte er die drei Balkone hinter sich, die ihn von dem Zimmer Mr. Fords trennten. Hier standen die Fenster weit offen, nur die hölzerne Jalousie war geschlossen, und es gelang ihm, diese geräuschlos zu öffnen. Er schlüpfte in das Zimmer und schloß die Glastür hinter sich.

Der Weg quer durchs Zimmer und das Aufschließen der Korridortür dauerte nur ein paar Sekunden. Reddy hatte angestrengt gelauscht, bevor er ins Zimmer trat. Er hörte die regelmäßigen Atemzüge Mr. Fords, ja, sogar ein leichtes Schnarchen.

Sobald er die gegenüberliegende Tür geöffnet hatte, trat Jimmy leise ins Zimmer. Reddy öffnete die oberste Schublade ganz vorsichtig, ohne das geringste Geräusch zu machen. Als er gerade unter den Kleidern suchte, wurde plötzlich das Licht angeknipst.

Mr. Ford saß in seinem Bett und hielt die beiden Einbrecher mit einem Browning in Schach.

„Nehmen Sie die Hände hoch!“

„Was wollen Sie denn?“ fragte Reddy empört. „Ich bin nur in ein falsches Zimmer gekommen, und ich muß schon sagen, ich bin sehr erstaunt über Ihr grobes Benehmen, Mr. Ford.“

Im nächsten Augenblick sprang Mr. Ford aus dem

Bett, und Reddy sah, daß er angekleidet war und nur kein Jackett trug.

„Ich habe auf Sie gewartet, Reddy“, fuhr er fort. „Ich verhafte Sie wegen Einbruchs, versuchten Betruges und verschiedener anderer Vergehen, ebenso Ihren Freund.“

„Wer sind Sie denn?“ fragte Reddy bestürzt.

„Mein Name ist Bob Brewer“, erklärte der junge Mann.

„Vielleicht haben Sie schon von mir gehört. Ich bin ein bekannter Verbrecher, der alles mitnimmt, was er bekommen kann. Also, Hände hoch, sonst wäre ich gezwungen, Ihnen eine blaue Bohne zwischen die Rippen zu jagen.“

Charles Dickens

Die Handschuhe

„Das ist 'ne merkwürdige Geschichte", sagte Inspektor Wield von der Geheimpolizei, der uns zusammen mit den Sergeanten Dornton und Mith eines Juniabends abermals einen Besuch abstattete, „und ich dachte, Sie möchten sie vielleicht hören.

Sie betrifft den Mord an einem jungen Frauenzimmer, Elisabeth Grimwood, vor ein paar Jahren da drüben in der Waterloo Road. Sie wurde für gewöhnlich ‚Die Gräfin' genannt wegen ihres hübschen Aussehens und der stolzen Art ihres Benehmens; und als ich die arme Gräfin (ich hatte mit ihr auf Unterhaltungsfuß gestanden) tot mit durchschnittener Kehle daliegen sah, auf dem Fußboden ihrer Kammer, da flog mir so allerlei Nachdenkliches durch den Kopf, was einen wohl traurig machen kann, dürfen Sie mir glauben. Aber das gehört nicht hierher. Ich ging am Morgen nach der Mordtat in das Haus und untersuchte den Körper, stellte auch eine allgemeine Untersuchung der Kammer an, in der er lag. Wie ich so mit der Hand das Kissen im Bett umdrehe, fand ich darunter ein Paar Handschuhe. Ein Paar Herrenhandschuhe, sehr schmutzig; und innen drin die Buchstaben Tr. und ein Kreuz.

Na, Herr, die Handschuhe nahm ich mit und zeigte sie dem Untersuchungsrichter drüben in Union Hall, dem der Fall vorlag. Er sagte: ‚Wield', sagt er, ‚da ist kein Zweifel, dies ist eine Entdeckung, die zu etwas Wichtigem führen kann; und was Sie zu tun haben, Wield, ist, den Besitzer dieser Handschuhe ausfindig zu machen.‘

Dieser Ansicht war ich natürlich auch und machte mich sofort daran. Ich sah mir die Handschuhe recht hübsch genau an und kam zu der Auffassung, sie wären gereinigt. Sie hatten so ’nen Geruch nach Schwefel und Harz an sich, wissen Sie, den gereinigte Handschuhe für gewöhnlich haben, mehr oder weniger. Ich nahm sie also zu einem meiner Freunde nach Kennington, der in diesem Fache arbeitet, und legte sie ihm vor.

‚Was sagst du dazu? Sind diese Handschuhe gereinigt?‘

‚Die Handschuhe sind gereinigt‘ sagt er.

‚Hast du ’ne Ahnung, wer sie gereinigt hat?‘

‚Nicht die geringste‘, sagt er; ‚ich habe ’ne sehr bestimmte Ahnung, wer sie nicht gereinigt hat, und das bin ich selbst. Aber ich will dir was sagen, Wield, es gibt in London nicht mehr als acht oder neun ordentliche Handschuhreiniger‘ – damals waren es anscheinend wirklich nicht mehr –, ‚und ich denke, ich kann dir ihre Wohnungen angeben, und dadurch kannst du dann ja herausfinden, wer sie gereinigt hat.‘

Also machte er mir seine Angaben, und ich ging hierhin, ich ging dahin und besuchte diesen und besuchte jenen; aber wenn sie auch alle übereinstimmten, die Handschuhe wären gereinigt, konnte ich doch weder Mann noch Frau oder Kind herausfinden, der dieses Paar Handschuhe gereinigt hatte.

Und wie nun so der eine nicht zu Hause war und der andere erst nachmittags zurückerwartet wurde und so weiter, kostete mich die Nachforschung drei Tage. Als ich am Abend des dritten Tages ganz tot von der Surrey-Seite des Flusses über die Waterloo-Brücke komme und ganz verärgert und entmutigt bin, da denke ich, ich könnte mir wohl so für 'ne Mark ein kleines Vergnügen im Lyceum-Theater gönnen, um mich etwas aufzufrischen. Also ging ich ins Parterre, zu halbem Preis, und setzte mich neben einen sehr ruhigen, bescheidenen jungen Mann. Als der sah, daß ich fremd war (ich dachte, es wäre ebensogut, so zu tun), nannte er mir die Namen der Schauspieler auf der Bühne, und wir kamen in Unterhaltung. Als die Vorstellung aus war, gingen wir zusammen nach draußen, und ich sagte: ‚Wir sind so gut miteinander ausgekommen, vielleicht würden Sie nichts gegen einen Kleinen einzuwenden haben?'

‚Na, Sie sind sehr freundlich', sagt der, ‚ich hätte nichts dagegen einzuwenden.'

Also gingen wir in ein Wirtshaus nahe beim Theater, setzten uns oben im ersten Stock in ein ruhiges Zimmer und bestellten uns jeder einen halben Liter Halb und Halb und 'ne Pfeife.

Ja, Herr, dann nahmen wir unsere Pfeifen an Bord und tranken unser Halb und Halb und saßen da und schwatzten sehr behaglich, als der junge Mann sagt: ‚Sie müssen entschuldigen, wenn ich nicht lange bleibe', sagt er, ,denn ich muß früh nach Hause. Ich muß die ganze Nacht durcharbeiten.'

,Die ganze Nacht durcharbeiten?' sage ich. ,Sind Sie Bäcker?'

,Nein', sagt er und lacht. ,Bäcker bin ich nicht.'

,Das dachte ich mir doch, Sie sehen gar nicht aus wie ein Bäcker.'

,Nein', sagt er, ,ich bin Handschuhreiniger.'

In meinem Leben war ich nicht so erstaunt, als wie ich diese Worte über seine Lippen kommen hörte.

,Sie sind Handschuhreiniger?' sage ich.

,Ja', sagt er, ,das bin ich.'

,Dann', sage ich und hole die Handschuhe aus meiner Tasche, ,können Sie mir vielleicht sagen, wer diese Handschuhe gereinigt hat? Es ist 'ne sonderbare Geschichte', sage ich. ,Ich aß neulich drüben in Lambeth zu Abend – 'ne lustige Kneipe war es – ganz gemischt – Zutritt frei –, und da ließ ein Herr diese Handschuhe liegen! Nun, sehen Sie, da haben ein anderer Herr und ich um zwanzig Mark gewettet, daß ich herauskriegen sollte, wem sie gehören. Sieben Mark habe ich schon ausgegeben bei meinen Versuchen, ihn aufzufinden; aber wenn Sie mir helfen würden, würde ich noch mal sieben Mark ausgeben und das gern. Sehen Sie, da steht Tr. und ein Kreuz drin.'

,Ich sehe', sagt er. ,Lieber Gott, die Handschuhe kenne ich sehr gut! Dutzende habe ich gesehen, die alle demselben Kunden gehörten.'

,Nein?' sage ich. ,Dann wissen Sie, wer sie gereinigt hat?' sage ich.

‚So ziemlich‘, sagt er. ‚Mein Vater hat sie gereinigt.‘

‚Wo wohnt denn Ihr Vater?‘ sage ich.

‚Grade um die Ecke‘, sagt der junge Mann, ‚hier, bei der Exeter-Straße. Der wird Ihnen sofort sagen, wem sie gehören.‘

‚Würden Sie jetzt gleich mit mir herumgehen?‘ sage ich.

‚Gewiß‘, sagt er, ‚aber Sie brauchen meinem Vater nicht sagen, daß Sie mich im Theater getroffen haben, wissen Sie, weil er das vielleicht nicht gern hat.‘

‚Schön!‘

Wir gingen also nach der Wohnung und fanden dort einen alten Mann in weißer Schürze, mit zwei oder drei Töchtern, alle in einem Vorderzimmer auf ganze Haufen von Handschuhen drauflos reibend und waschend.

‚Oh Vater!‘ sagt der junge Mann, ‚hier hat jemand gewettet, wem diese Handschuhe wohl gehörten, und ich hab' ihm gesagt, du könntest das feststellen.‘

‚Guten Abend, Herr‘, sag' ich zu dem alten Mann. ‚Hier sind die Handschuhe, von denen Ihr Sohn gesprochen hat. Die Buchstaben Tr., sehen Sie, und ein Kreuz.‘

‚O ja‘, sagt er, ‚die Handschuhe kenne ich sehr gut; von denen habe ich Dutzende von Paaren gereinigt. Sie gehören Herrn Trinkle, dem großen Möbelhändler in Cheapside.‘

‚Haben Sie sie unmittelbar von Herrn Trinkle

bekommen', sage ich, ‚wenn Sie die Frage entschuldigen wollen?'

‚Nein', sagt er; ‚Herr Trinkle schickt sie immer zu Herrn Bhibbs, dem Schnittwarenhändler, seinem eigenen Laden gegenüber, und der Schnittwarenhändler schickt sie zu mir.'

‚Vielleicht hätten Sie auch nichts gegen einen Kleinen einzuwenden?' sage ich.

‚Ganz und gar nicht!' sagt er.

So nahm ich den alten Herrn mit und unterhielt mich mit ihm und seinem Sohn bei einem Glas, und wir schieden als gute Freunde.

Das war Sonnabend spät. Als erstes am Montag morgen ging ich in den Laden des Schnittwarenhändlers, Herrn Trinkle, dem großen Möbelhändler in Cheapside, gegenüber.

‚Herr Bhibbs zufällig zugegen?'

‚Mein Name ist Bhibbs.'

‚O! Ich glaube, Sie haben dies Paar Handschuhe zum Reinigen geschickt?'

‚Ja, das hab' ich, für den jungen Herrn Trinkle drüben auf der andern Seite. Da steht er im Laden.'

‚O! Der da im Laden ist es? Der in dem grünen Rock?'

‚Ganz derselbe.'

‚Ja, Herr Bhibbs, dies ist 'ne ungemütliche Geschichte; in Wirklichkeit bin ich nämlich Inspektor Wield von der Geheimpolizei und habe diese Handschuhe unter dem Kopfkissen der jungen Person gefunden, die da neulich in der Waterloo Road ermordet wurde.'

‚Gerechter Himmel!‘ sagt er. ‚Es ist ein hochachtsamer junger Mann, und wenn sein Vater das zu hören kriegte, den würde das zugrunde richten.‘

‚Es tut mir furchtbar leid‘, sage ich, ‚aber ich muß ihn verhaften.‘

‚Gerechter Himmel!‘ sagt Herr Bhibbs abermals; kann da nichts bei gemacht werden?‘

‚Nichts‘, sag’ ich.

‚Wollen Sie mir erlauben‘, sagt er, ‚daß ich ihn hier herüberrufe, damit sein Vater nichts davon merkt?‘

‚Dagegen habe ich nichts einzuwenden‘, sage ich; ‚unglücklicherweise aber darf ich keinerlei Unterhaltung zwischen Ihnen gestatten. Wenn das versucht würde, müßte ich sofort zwischen Ihnen einschreiten. Vielleicht können Sie ihn herüberwinken?‘

Herr Bhibbs ging an die Tür und winkte, und der junge Mensch kam sofort über die Straße; ein aufgeweckter, frischer junger Bursche.

‚Guten Morgen, Herr‘, sag’ ich.

‚Guten Morgen, Herr‘, sagt er.

‚Würden Sie mir wohl die Frage gestatten‘, sag’ ich, ‚ob Sie mit jemand namens Grimwood bekannt sind?‘

‚Grimwood! Grimwood!‘, sagt er. ‚Nein!‘

‚Kennen Sie die Waterloo Road?‘

‚Oh, natürlich kenne ich die Waterloo Road!‘

‚Haben Sie zufällig davon gehört, daß dort ein junges Frauenzimmer ermordet worden ist?‘

‚Ja, das habe ich in der Zeitung gelesen, und es hat mir sehr leid getan, als ich’s las.‘

‚Hier ist ein Paar Handschuhe, die Ihnen gehören,

und ich fand Sie am Morgen nachher unter ihrem Kopfkissen.‘

Er war in einer schrecklichen Verfassung, Herr; einer schrecklichen Verfassung!

‚Herr Wield‘, sagt er, ‚bei meinem heiligen Eid, ich bin nie dagewesen. Soviel ich weiß, habe ich sie nie in meinem Leben gesehen!‘

‚Es tut mir sehr leid‘, sage ich. ‚Die Wahrheit zu sagen, ich glaube nicht, daß Sie der Mörder sind, aber ich muß Sie in einem Wagen nach Union Hall bringen. Ich glaube indessen, es handelt sich um einen Fall, wo Sie der Untersuchungsrichter, im Augenblick noch, außeramtlich vernehmen wird.‘

Eine außeramtliche Vernehmung fand statt, und da kam es denn heraus, daß dieser junge Mann mit einer Kusine der unglücklichen Elisabeth Grimwood bekannt war und daß er bei einem Besuch bei dieser Kusine zwei oder drei Tage vorher diese Handschuhe dort auf dem Tisch hatte liegenlassen. Wer anders mußte gleich darauf hereinkommen als Elisabeth Grimwood.

‚Wem gehören diese Handschuhe?‘ sagt sie und nimmt sie auf.

‚Das sind Herrn Trinkle seine‘, sagt ihre Kusine.

‚Oh‘, sagt sie, ‚sie sind sehr schmutzig und nutzen ihm doch nichts mehr. Ich werde sie mitnehmen und sie meinem Mädchen zum Ofenputzen geben.‘ Und sie steckt sie in die Tasche. Das Mädchen hatte sie zum Ofenputzen gebraucht und, wie ich nicht bezweifle, sie auf dem Kamin im Schlafzimmer liegenlassen oder auf der Kommode oder sonstwo; und ihre Herrin hatte sie, als sie nachsah, ob das Zimmer in Ordnung wäre, da aufgenommen und unter ihr Kissen gesteckt, wo ich sie dann fand.

Das ist die Geschichte, Herr.“

Sir Arthur Conan Doyle

Das gefleckte Band

Es war noch früh, sehr früh am Morgen, als Sherlock Holmes, der notorische Langschläfer, mich aus dem Schlafe riß. „Tut mir leid, daß ich dich stören muß, Watson“, sagte er, „aber du bist heute morgen nicht der einzige: Erst mußte Mrs. Hudson aus den Federn, sie weckte mich und ich nun dich.“

„Was ist denn los? Brennt es?“

„Nein, ein Klient, eine verstörte junge Dame, die darauf besteht, mich zu sehen. Sie wartet im Wohnzimmer. Ich dachte, ich darf sie dir nicht vorenthalten. Vielleicht interessiert dich der Fall.“

„Aber selbstverständlich. Ich komme sofort.“

Ich zog mich hastig an und ging mit meinem Freund ins Wohnzimmer hinunter. Eine tiefverschleierte Dame in Schwarz erhob sich, als wir eintraten.

„Guten Morgen, Madam“, sagte Holmes. „Mein Name ist Sherlock Holmes. Das hier ist mein Freund und Kollege Dr. Watson, dem Sie genauso vertrauen dürfen wie mir. Großartig, Mrs. Hudson hat bereits Feuer gemacht. Setzen Sie sich doch näher zum Kamin, Madam! Ich werde sofort heißen Kaffee bestellen, Sie zittern ja.“

„Es ist nicht die Kälte“, sagte die Frau leise und zog ihren Stuhl näher ans Feuer.

„Sondern?“

„Angst, Mr. Holmes. Nackte, kalte Angst.“ Sie

hob ihren Schleier, und wir sahen in ein verhärmtes, graues Gesicht, aus dem uns zwei angstvolle Augen unruhig anblickten. Die Frau konnte kaum älter als dreißig sein, aber ihr Haar war bereits ergraut.

Holmes beugte sich vor und strich ihr behutsam über die Hand. „Wir werden Ihnen helfen", sagte er beruhigend. „Sie sind heute früh mit dem Zug nach London gekommen, wie ich sehe."

„Sie kennen mich?"

„Nein, aber in Ihrem linken Handschuh steckt eine Rückfahrkarte."

„Ja, ich bin mit dem Frühzug in Waterloo Station angekommen, Sir. Ich kann diese Angst nicht länger ertragen. Ich werde verrückt, wenn es so weitergeht. Ich habe niemanden, an den ich mich wenden könnte – niemanden außer einem einzigen Menschen, der mich liebt, und er kann mir nicht helfen. – Eine Bekannte hat mir von Ihnen erzählt, Mr. Holmes. Wenn Sie mir doch wieder ein wenig Hoffnung geben wollten! Augenblicklich bin ich nicht in der Lage, Sie für Ihre Hilfe zu entschädigen, aber in ein paar Monaten werde ich heiraten und über mein eigenes Vermögen verfügen."

„Mein Beruf ist mir ein Vergnügen, Madam, aber ich stelle es Ihnen frei, mir die Unkosten zu vergüten. Das hat natürlich Zeit. Und jetzt, bitte, erzählen Sie uns Ihren Kummer."

Die verkrampften Finger der Frau lösten sich. „Das schlimmste ist, daß meine Ängste nur sehr unbestimmt sind. Ich kann meine Unruhe nur mit

Kleinigkeiten begründen, die jedem Außenstehenden bedeutungslos erscheinen müssen. Selbst dieser einzige Mensch, an den ich mich um Hilfe und Rat wenden könnte, hält die Dinge, die ich ihm erzähle, für die Phantastereien einer überreizten Frau. Er spricht es nicht aus, aber ich kann es an seinen beruhigenden Worten erkennen. Von Ihnen, Mr. Holmes, habe ich gehört, daß Sie wie kein zweiter die Abgründe in einem Menschen zu erkennen vermögen. Vielleicht wissen Sie einen Rat, wie ich mit dem Grauen fertig werden kann, das mich langsam zu ersticken droht."

„Erzählen Sie, Madam."

„Mein Name ist Helen Stoner. Ich lebe bei meinem Stiefvater, dem Letzten der Roylotts aus Stoke Moran in Westsurrey; sie zählen zu den ältesten Familien Englands."

Holmes nickte. „Der Name ist mir natürlich bekannt", sagte er.

„Die Familie war einmal unermeßlich reich, aber im letzten Jahrhundert zerrann der Besitz unter den Händen von vier Verschwendern; schließlich hat ein Spieler den Ruin der Familie besiegelt. Außer ein paar Feldern und dem zweihundert Jahre alten Haus, auf dem eine große Hypothek liegt, ist nichts übriggeblieben. Der letzte Roylott hat dort das erbärmliche Leben eines verarmten Adligen geführt. Sein einziger Sohn, mein Stiefvater, ergab sich nicht in dies Schicksal; ein Verwandter finanzierte sein Medizinstudium. Er legte sein Examen ab und ging nach Kalkutta. Er war tüchtig und ehrgeizig und hatte bald eine große

Praxis. Aber in einem Wutanfall über mehrere Diebstähle, die in seinem Haus geschahen, erschlug er einen eingeborenen Diener; er wäre dafür beinahe gehängt worden. Jahrelang saß er im Gefängnis, dann kehrte er als düsterer und vom Leben enttäuschter Mann nach England zurück.

Als Dr. Roylott noch in Indien war, heiratete er meine Mutter, die junge Witwe eines Offiziers der ‚Bengal Artillery'. Meine Schwester Julia und ich waren erst zwei Jahre alt – wir sind Zwillinge –, als meine Mutter sich wieder verheiratete. Sie hatte ein beträchtliches Vermögen, und das überschrieb sie ganz Dr. Roylott. Außerdem verfügte sie, daß wir Mädchen im Falle einer Heirat eine bestimmte jährliche Summe erhalten sollten. Kurz nach unserer Rückkehr nach England starb unsere Mutter – sie verunglückte tödlich bei einem Eisenbahnunfall.

Dr. Roylott gab seinen Plan auf, in London eine Praxis zu gründen; er nahm uns mit sich in sein väterliches Haus nach Stoke Moran. Unsere Mutter hatte uns genügend Geld hinterlassen. Einem glücklichen Leben hätte nichts im Wege gestanden.

Aber ungefähr um diese Zeit vollzog sich ein schrecklicher Wandel in unserem Stiefvater. Anstatt den Verkehr mit unseren Nachbarn zu pflegen, die anfangs überglücklich waren, daß wieder ein Roylott auf Stoke Moran lebte, zog er sich völlig zurück. Wenn er einmal ausging, brach er mit jedem, der ihm über den Weg lief, einen Streit vom Zaun. Das zügellose Temperament lag in der Familie, und bei meinem

Stiefvater hatte der lange Aufenthalt in den Tropen diese Veranlagung noch verstärkt. Es gab immer mehr peinliche Streitereien, zweimal endeten sie sogar vor der Polizei. Schließlich war er zum Schrecken des Dorfes geworden. Wenn er auftauchte, leerten sich die Straßen.

Letzte Woche erst stieß er im Streit den Dorfschmied in den Fluß. Ich konnte ein gerichtliches Nachspiel nur dadurch verhindern, daß ich alles Geld, das wir im Hause hatten, zusammenkratzte, um den Schmied zu besänftigen.

So lebt er; seine einzigen Freunde sind ein paar Zigeuner, die er auf seinem Grund nach Belieben ihre Zelte aufschlagen läßt. Er verbringt viele Stunden an ihren Lagerfeuern. Er ist auch schon wochenlang mit ihnen durchs Land gezogen. Indische Tiere sind seine andere Leidenschaft; im Augenblick hält er einen abgerichteten Leoparden und einen Pavian. Er läßt sie frei auf seinen Feldern umherstreifen, und die Tiere werden von den Dorfbewohnern beinahe genauso gefürchtet wie ihr Herr.

Können Sie sich nun vorstellen, daß meiner Schwester Julia und mir dieses Leben immer schwerer wurde? Dienstboten liefen uns schon nach den ersten Wochen davon, und lange Zeit mußten wir alle Hausarbeiten allein besorgen. Julia war erst dreißig, als sie starb, aber ihr Haar war schon grau, so wie meines."

„Ihre Schwester lebt nicht mehr?"

„Sie starb vor zwei Jahren. Ich möchte mit Ihnen über ihren Tod sprechen. Ich habe Ihnen unser Leben beschrieben, und Sie werden sich vorstellen können, daß wir kaum Gelegenheit hatten, Menschen unseres Alters kennenzulernen. Wir hatten eine Tante, eine Schwester unserer Mutter, Miss Honoria Westphail, die bei Harrow lebt. Gelegentlich durften wir sie besuchen. Vor zwei Jahren war Julia über Weihnachten bei ihr und lernte dort einen Marineoffizier kennen. Sie verlobte sich mit ihm. Als mein Stiefvater von der Verlobung hörte, hatte er nichts dagegen einzuwenden. Zwei Wochen vor dem Tag, an dem die beiden heiraten wollten, geschah das Schreckliche."

Sherlock Holmes hatte bisher mit geschlossenen Augen zugehört. Jetzt hob er die Lider etwas und sah die junge Frau an. „Bitte, berichten Sie! Vergessen Sie nichts!" sagte er.

„Diesen Tag werde ich niemals vergessen. Wie ich Ihnen schon erklärte, ist das Haus sehr alt. Wir bewohnen nur einen Flügel. Die Schlafzimmer dieses Flügels liegen im Parterre. Zuerst kommt Dr. Roylotts Schlafzimmer, dann das meiner Schwester, das dritte ist meines. Es gibt keine Verbindung zwischen den einzelnen Räumen, die Türen gehen aber alle auf den gleichen Korridor und die Fenster der Schlafzimmer auf den Rasen. Drücke ich mich klar aus?"

„Ja, völlig."

„In dieser schrecklichen Nacht war Dr. Roylott schon sehr früh auf sein Zimmer gegangen. Wir wußten aber, daß er noch nicht schlief, denn meine Schwester störte der Rauch seiner starken indischen Zigarre. Sie verließ deshalb ihr Zimmer und kam zu mir. Wir unterhielten uns über die Hochzeit. Um elf Uhr stand sie auf und wollte gehen. An der Tür blieb sie noch einmal stehen und sah mich an.

‚Sag mal, Helen', fragte sie, ‚hast du nie mitten in der Nacht jemanden pfeifen hören?'

‚Pfeifen?' fragte ich. ‚Nein. Warum denn?'

‚Weil ich es in den letzten Nächten leise, aber ganz deutlich hörte, immer gegen drei Uhr morgens. Ich schlafe nicht sehr tief und bin jedesmal davon aufgewacht. Ich kann nicht sagen, woher es kam – vielleicht aus dem Nebenzimmer, vielleicht von draußen. Du hast also nichts gehört?'

‚Nein. Das müssen diese verwünschten Zigeuner sein.'

‚Wahrscheinlich. Aber wenn es von draußen kam, dann wundere ich mich, daß du es nicht auch gehört hast.'

‚Ja, aber ich schlafe doch meist viel tiefer als du.'

‚Nun, es wird nicht so wichtig sein.' Sie lächelte mir zu und zog die Tür hinter sich ins Schloß. Wenige Sekunden später hörte ich, wie der Schlüssel sich drehte."

„Ließen Sie Ihre Türen nachts nie unverschlossen?" fragte Holmes.

„Nie."

„Und warum nicht?"

„Ich erzählte Ihnen doch von dem Leoparden und dem Pavian. Wir fühlten uns nicht sicher, wenn man die Türen aufdrücken konnte."

„Verständlich. Bitte weiter."

„Ich fand keinen Schlaf in jener Nacht. Das unbestimmte Vorgefühl eines drohenden Unheils ließ mich nicht zur Ruhe kommen. Es war eine wilde Nacht. Der Sturm heulte ums Haus, und der Regen peitschte gegen die Fenster. Plötzlich gellte durch das Geheul des Sturmes der Schrei einer Frau. Ich erkannte die Stimme meiner Schwester. Ich sprang aus dem Bett und stürzte auf den Korridor.

Als ich meine Tür öffnete, glaubte ich ein leises Pfeifen zu hören, dann ein polterndes Geräusch, so als ob ein Stück Metall zu Boden gefallen wäre. Ich rannte zur Tür meiner Schwester. Sie war nicht verschlossen, sondern schwang im Wind hin und her. Im Licht der Flurlampe sah ich, wie meine Schwester auf die Schwelle zuwankte. Ihr Gesicht war aschfahl vor Grauen. Sie hielt die Hände hilfesuchend vorgestreckt. Sie taumelte weiter geradeaus. Ich nahm sie in meine Arme, aber in diesem Augenblick sank sie zu Boden. Ihr Körper zuckte, als ob er von entsetzlichen Schmerzen geschüttelt würde.

Zuerst glaubte ich, sie habe mich nicht erkannt, aber als ich mich über sie beugte, wimmerte sie mit verzerrter Stimme, einer Stimme, die ich nie vergessen werde: ‚O mein Gott, Helen! Das Band! Das gefleckte Band!‘

Sie deutete auf das Zimmer des Doktors, aber da wurde sie wieder von einem Krampf geschüttelt, ihre Stimme war nur noch ein Röcheln. Ich stürzte hinaus. Ich schrie nach meinem Stiefvater, und dann sah ich ihn, nur mit einem Morgenrock bekleidet, aus seinem Zimmer kommen. Als wir zu meiner Schwester traten, war sie bewußtlos, und obwohl er ihr Brandy einflößte und sofort nach einem Arzt schickte, war sie nicht mehr zu retten. Sie starb, ohne das Bewußtsein wiedererlangt zu haben."

„Einen Augenblick", sagte Holmes; „sind Sie ganz sicher, das Pfeifen und das folgende Geräusch gehört zu haben? Können Sie das beschwören?"

„Das fragte mich auch der Vorsitzende bei der Gerichtsverhandlung. Ich glaube sicher, daß ich es hörte, aber bei der Stärke des Sturms könnte ich mich auch getäuscht haben."

„War Ihre Schwester angezogen?"

„Nein, im Nachthemd. In der rechten Hand fand man ein angebranntes Streichholz und in ihrer linken eine Streichholzschachtel."

„Das ist wichtig. Und zu welchem Schluß kam der Vorsitzende?"

„Er untersuchte den Fall sehr sorgfältig, Dr. Roylott war ja schon seit langem berüchtigt in der ganzen Gegend. Aber das Gericht konnte die Todesursache nicht aufklären. Ich gab zu Protokoll, daß die Tür von innen verschlossen gewesen war und sich vor den Fenstern schwere alte Läden, die noch dazu mit dicken Eisenstangen versehen sind, befinden. Die Wände ihres Zimmers wurden abgeklopft, alles ohne Erfolg. Es ist deshalb mit Sicherheit anzunehmen, daß meine Schwester allein im Zimmer war. Auch wies ihr Körper keine Spuren irgendwelcher Gewaltanwendung auf."

„Gift vielleicht?“

„Auch daraufhin wurde sie untersucht. Nichts.“

„Was glauben Sie, woran Ihre Schwester starb?“

„Ich bin überzeugt davon, daß sie an der Angst starb, an einem Schock, obwohl ich mir nicht vorstellen kann, was sie so sehr entsetzte.“

„Waren zu dieser Zeit Zigeuner in der Umgebung?“

„Ja, es waren beinahe immer welche da.“

„Und was sagte Ihnen diese letzte Bemerkung von einem Band – einem gefleckten Band?“

„Manchmal dachte ich, daß sie das einfach im Delirium gesagt hat. Dann überlegte ich mir, ob sie vielleicht auf eine Bande von Menschen anspielen wollte, vielleicht gerade auf die Zigeuner. Vielleicht könnten die gepunkteten Kopftücher, die viele von ihnen tragen, damit gemeint gewesen sein.“

Holmes schüttelte den Kopf. Der Gedanke schien ihn nicht zu befriedigen. „Fahren Sie bitte fort“, sagte er dann.

„Zwei Jahre sind seither vergangen. Mein Leben wurde einsamer denn je. – Vor einem Monat nun hat mich ein Mann, den ich seit vielen Jahren kenne und schätze, gebeten, seine Frau zu werden. Mein Stiefvater hat nichts gegen diese Verbindung einzuwenden. Wir wollen noch im Frühjahr heiraten.

Vor zwei Tagen nun wurde im Westflügel des Hauses, den wir bewohnen, mit ein paar Reparaturen begonnen. Dabei mußte eine Wand meines Schlafzimmers durchgebrochen werden. Ich zog solange in das Zimmer, in dem meine Schwester starb. Ich schlafe nun im gleichen Bett, in dem auch sie geschlafen hat. Vielleicht können Sie sich mein Entsetzen vorstellen, als ich in der vergangenen Nacht plötzlich ein Pfeifen hörte. Ich zündete die Lampe an, aber es war nichts zu sehen. Ich war viel zu erregt, um wieder ins Bett zu gehen. Ich zog mich an, und als es hell wurde, stahl ich mich aus dem Haus. Ich nahm mir im Gasthaus einen Wagen und fuhr zur Bahnstation nach Leatherhead. Ich erreichte noch den Frühzug – alles Weitere wissen Sie."

„Das war sehr klug von Ihnen", sagte Holmes. „Haben Sie mir alles erzählt?"

„Ja, alles."

„Miss Stoner, das stimmt nicht. Sie decken Ihren Stiefvater."

„Warum? Was meinen Sie damit?"

Statt einer Antwort schob Holmes die Spitzenrüsche zurück, die über die Hand der Frau fiel. Fünf leuchtend rote Flecken, die Spuren von vier Fingern und einem Daumen, waren deutlich auf dem weißen Handgelenk zu sehen.

Die junge Frau errötete und verbarg das verletzte Gelenk.

„Er ist ein harter Mann", sagte sie, „vielleicht weiß er gar nicht, wie stark er ist."

Ein paar Minuten lang war Schweigen im Raum. Holmes starrte ins Feuer.

„Da gibt es noch tausend Dinge, die ich wissen müßte", sagte er, „ehe ich mir meinen Plan zurechtlege. Aber wir haben keine Zeit mehr zu verlieren. Wenn wir nun heute nach Stoke Moran hinausführen: Wäre es dann möglich, die Räume im Westflügel zu besichtigen, ohne daß Ihr Stiefvater davon erfährt?“

„Heute ja. Dr. Roylott ist in der Stadt. Er sagte, er habe wichtige geschäftliche Dinge zu erledigen. Wahrscheinlich bleibt er den ganzen Tag über weg. Wir haben jetzt zwar eine Haushälterin, aber sie ist alt und nicht gerade ein Geisteslicht; ich könnte sie leicht aus dem Weg halten.“

„Sehr gut. Du hast doch nichts gegen diese Fahrt, Watson?“

„Im Gegenteil.“

„Dann kommen wir beide. Was haben Sie vor?“

„Ich würde gern noch ein paar Dinge erledigen, da ich schon in der Stadt bin. Aber ich fahre mit dem Zwölfuhrzug zurück und werde Sie dann erwarten.“

„Wir werden am frühen Nachmittag bei Ihnen sein.“

„Ich bin sehr froh, daß Sie kommen wollen.“ Sie zog den dichten schwarzen Schleier über ihr Gesicht und verabschiedete sich.

„Was hältst du davon, Watson?“ Sherlock Holmes lehnte sich zurück.

„Ich sehe nicht klar.“

„Ich auch nicht. Aus diesem Grunde gehen wir auch heute noch nach Stoke Moran. Ich will mich selber einmal dort umsehen. Aber was, in drei Teufels Namen ...“

Plötzlich wurde die Tür aufgerissen. Ein Riese von einem Mann stand auf der Schwelle, so groß, daß sein Kopf am oberen Türbalken anstieß. Sein grobflächiges Gesicht, über das sich tausend Fältchen zogen, war von der Sonne gelb ausgedörrt worden. Seine tiefliegenden Augen und die scharfgeschnittene Nase gaben ihm das Aussehen eines ungezähmten alten Raubvogels.

„Wer von Ihnen ist Holmes?“ fragte er scharf.

„Das ist mein Name, Sir, aber ich wüßte nicht ...“

„Ich bin Dr. Grimesby Roylott von Stoke Moran.“

„Freut mich“, sagte Holmes kühl. „Nehmen Sie bitte Platz.“

„Ich denke nicht daran. Meine Stieftochter war hier. Was hat sie Ihnen erzählt?“

„Etwas kalt für die Jahreszeit heute“, sagte Holmes, „finden Sie nicht?“

„Was hat sie Ihnen erzählt?“ schrie der alte Mann unbeherrscht.

„Aber wie ich hörte, sollen die Krokusse bald blühen“, fuhr Holmes unerschüttert fort.

Unser Besucher kam einen Schritt näher und hob seine Reitpeitsche. „Ich weiß Bescheid. Sie sind Holmes, der seine Nase in jeden Dreck steckt!“

Mein Freund lächelte.

„Holmes, der Gernegroß!“

Die Lachfältchen in Holmes’ Gesicht vertieften sich.

„Holmes, der Scotland-Yard-Kasper!“

Holmes lachte laut heraus. „Sie sind ein amüsanter

Unterhalter“, sagte er. „Wenn Sie gehen, machen Sie doch bitte die Tür zu; es zieht.“

„Ich gehe, wenn es mir paßt. Und wagen Sie es ja nicht, sich in meine Angelegenheiten zu mischen! Ich weiß, daß Miss Stoner hier war – ich bin ihr nachgegangen. Es ist gefährlich, mich hinters Licht führen zu wollen!“ Mit einem Schritt war er am Kamin. Er ergriff den Feuerhaken, und seine sehnigen braunen Hände bogen ihn krumm.

„Hüten Sie sich! Wenn ich Sie in meine Finger bekommen sollte ...“ Er warf den verbogenen Feuerhaken in den Kamin und schlug dann die Tür heftig hinter sich zu.

„Ein liebenswerter Mensch“, sagte Holmes immer noch lächelnd. „Wenn er geblieben wäre, hätte ich ihm zeigen können, daß meine Hände nicht viel schwächer sind als die seinen.“ Er hob den eisernen Feuerhaken auf, hielt ihn ein paar Sekunden in den Händen und bog ihn dann in einer plötzlichen Bewegung wieder gerade.

„Eine Frechheit, mich mit der Polizei zu vergleichen! Das soll mir ein Ansporn sein. Ich will nur hoffen, daß Miss Stoner ihre Unvorsichtigkeit nicht büßen muß. Aber jetzt wollen wir erst einmal essen. Dann muß ich zur Ärztekammer; vielleicht kann man uns dort mit ein paar Hinweisen helfen.“

Kurz vor ein Uhr kam Holmes zurück. Er zog ein großes Blatt Papier aus der Tasche.

„Ich habe mir das Testament der verstorbenen Mrs. Roylott angesehen“, sagte er. „Das Geld ist in Wertpapieren angelegt. Das Jahreseinkommen betrug im Jahr ihres Todes wenig unter 1100 Pfund, jetzt liegt es etwa bei 750 Pfund. Im Falle einer Heirat haben beide Töchter Anspruch auf 250 Pfund jährlich. Wenn beide Töchter geheiratet hätten, wäre diesem Edelmann nur ein äußerst kärgliches Einkommen geblieben; schon die Heirat einer Tochter hätte ihn beim augenblicklichen Stand der Dinge ruiniert. Ein starkes Motiv, um eine Heirat zu verhindern. Am besten, du nimmst deine Waffe mit, Watson. Bei einem Herrn, der eiserne Feuerhaken wie Plastilin behandelt, ist eine Pistole noch das beste Argument."

Wir hatten Glück. An der Waterloo-Station lief eben ein Zug nach Leatherhead ein. Dort mieteten wir uns einen Wagen und fuhren sofort weiter nach Stoke Moran. Holmes hatte sich den Hut tief in die Stirn gezogen und die Arme verschränkt. Plötzlich fuhr er hoch, stieß mich an und deutete über die Wiesen.

„Stoke Moran?" fragte er den Kutscher.

„Ja, Sir, das ist das Haus von Dr. Grimesby Roylott." Der Kutscher wies auf das Ziegeldach, das jetzt hinter den Baumwipfeln eines Parks auftauchte.

„Da wird gebaut", sagte Holmes, „wir sind also richtig."

„Dort liegt das Dorf." Der Kutscher deutete auf ein paar Dächer, die man in der Ferne sehen konnte. „Aber wenn Sie zum Gutshaus wollen, der kürzeste Weg ist der an den Feldern entlang. Da vorn, der Fußweg, wo Sie die Dame sehen."

„Das wird Miss Stoner sein“, sagte Holmes.

Wir stiegen aus und bezahlten den Kutscher. Der Wagen wendete auf der Straße und fuhr zurück nach Leatherhead.

„Der Bursche soll ruhig glauben“, sagte Holmes, „daß wir Architekten sind oder mit den Bauarbeiten zu tun haben. Dann wird nicht weiter geredet. – Guten Tag, Miss Stoner. Sie sehen, man kann sich auf uns verlassen.“

„Ich habe Sie voll Ungeduld erwartet!“ rief sie und drückte uns die Hand.

„Wir hatten das Vergnügen, Dr. Roylott kennenzulernen.“

Holmes erzählte ihr in wenigen Worten, was geschehen war.

Miss Stoner war aschfahl geworden. „Mein Gott! Er ist mir also gefolgt.“

„Anscheinend.“

„Er ist unberechenbar. Ich weiß nie, wann ich vor ihm sicher bin. Was wird wohl geschehen, wenn er zurückkommt?“

„Wenn er gewalttätig wird, bringen wir Sie am besten zu Ihrer Tante nach Harrow. Jetzt aber müssen wir die Zeit nützen, die uns zur Verfügung steht. Führen Sie uns gleich zu den Räumen, die wir ansehen wollen.“

An dem bewohnten Flügel des Hauses war ein Gerüst aufgerichtet. Eine Seitenwand war teilweise durchgebrochen, aber im Augenblick waren die Bauarbeiter nicht an der Arbeit. Holmes ging langsam auf dem schlechtgeschnittenen Rasen hin und her und betrachtete lange die Fensterfront.

„Dieses Fenster gehört also zu dem Zimmer, in dem Sie schliefen, das mittlere zu dem Ihrer Schwester und das nächstfolgende ist Dr. Roylotts Zimmer?"

„Ja, aber ich schlafe jetzt im mittleren."

„Wegen der Bauarbeiten. Ich kann allerdings nichts sehen, was an der Wand so dringend repariert werden müßte."

„Ich bin überzeugt, daß es nur ein Vorwand war."

„Auf der Rückseite dieses Flügels ist wohl der Korridor, auf den die Türen dieser drei Zimmer führen. Hat er Fenster?"

„Ja, aber nur sehr kleine. Zu klein, als daß jemand sich durchzwängen könnte."

„Würden Sie jetzt bitte in Ihr Zimmer gehen und die Fensterläden von innen schließen?"

Miss Stoner machte die Läden zu. Holmes untersuchte den Verschluß aufmerksam und versuchte, die Läden mit Gewalt zu öffnen. Es gelang ihm nicht. Dann untersuchte er mit seinem Vergrößerungsglas die Angeln, in denen die Läden hingen. Sie waren aus massivem Eisen und fest in den stabilen hölzernen Rahmen eingelassen. „Hm", sagte Holmes, „diese Läden konnten unmöglich mit Gewalt geöffnet werden. Jetzt wollen wir uns die Sache einmal genau von innen ansehen, Watson."

Wir schritten durch den weißgekalkten Flur, auf den die drei Schlafzimmertüren führten. Holmes verzichtete aber darauf, auch das dritte Zimmer zu besichtigen. Wir gingen sofort ins Mittelzimmer, in dem Miss Stoner zur Zeit schlief und in dem auch ihre Schwester gestorben war.

Es war ein freundliches Zimmer mit einem offenen Kamin, wie man ihn in vielen alten Landhäusern findet. In der einen Ecke stand eine braune Kommode, und links vom Fenster stand ein Frisiertisch. Zwei Rohrstühle und ein Teppich in der Mitte – das war alles. Holmes zog sich einen Korbstuhl in die Ecke und setzte sich. Schweigend ließ er seine Blicke durch den Raum wandern; ich wußte, daß er sich dabei auch die geringste Kleinigkeit einprägte.

„Wohin geht diese Klingel?“ fragte er und deutete auf eine Schnur, die über dem Kopfende des Bettes hing.

„Zum Zimmer der Haushälterin.“

„Sieht neuer aus als die anderen Dinge hier.“

„Sie wurde erst vor ein paar Jahren eingerichtet.“

„Bat Ihre Schwester darum?“

„Nein, ich habe auch nie gesehen, daß Julia sie benutzte. Was wir brauchten, holten wir uns selbst.“

Holmes murmelte etwas und legte sich dann mit dem Vergrößerungsglas in der Hand auf den Boden. Er kroch vor und zurück und überprüfte jede einzelne Bodenritze. Dann wandte er seine Aufmerksamkeit den holzverkleideten Wänden zu.

Schließlich trat er vor das Bett. Er betrachtete es ein paar Sekunden schweigend. Dann nahm er die Klingelschnur in die Hand und zog einmal kurz daran. „Nur eine Attrappe“, sagte er. „Sie ist nicht einmal mit einem Draht verbunden. Sehen Sie, sie hängt an einem Haken über der kleinen Ventilatoröffnung.“

„Eigenartig! Das ist mir nie zuvor aufgefallen.“

Holmes zog noch einmal an der Schnur. „Nicht das einzige an diesem Zimmer, das eigenartig ist. Was für ein Idiot von Architekt muß das gewesen sein, der einen Ventilator nach dem anderen Zimmer legt und nicht an die Außenwand.“

„Der Ventilator ist auch noch nicht sehr alt“, sagte Miss Stoner.

„Wurde er gleichzeitig mit der Klingelschnur eingebaut?“

„Ja. Damals wurden verschiedene Kleinigkeiten geändert.“

„Interessante Kleinigkeiten – Klingelattrappen und Ventilatoren ohne Frischluft. Wenn Sie erlauben, Miss Stoner, werden wir uns jetzt im nächsten Zimmer umsehen.“

Dr. Grimesby Roylotts Zimmer war größer als das seiner Stieftochter, aber genauso einfach eingerichtet. Ein Bett, ein kleines hölzernes Bücherregal, ein Holzstuhl, ein runder Tisch und ein großer Safe waren die Haupteinrichtungsgegenstände.

„Was ist hier drin?“ fragte Holmes und legte die Hand auf den Safe.

„Die Geschäftspapiere meines Stiefvaters.“

„Sie haben den Safe also schon offen gesehen?“

„Einmal nur, vor ein paar Jahren. Damals war er mit Papieren angefüllt.“

„Eine Katze kann nicht drin sein?“

„Nein. Wie kommen Sie denn darauf?“

Holmes hob eine kleine Untertasse mit Milch hoch, die auf dem Safe stand.

„Katzen haben wir nicht im Haus. Aber der Leopard ...“

„Natürlich! Auch ein Leopard ist eine Katze, ein bißchen groß allerdings, und ob solch ein Tier mit einer Schale Milch zufrieden sein wird?“ Er kniete vor dem Holzstuhl nieder und untersuchte aufmerksam den Sitz.

„Das hätten wir also auch“, sagte er schließlich. Er erhob sich und steckte das Vergrößerungsglas wieder ein. „Hallo! Noch eine Kleinigkeit!“ Er hatte eine kleine Hundepeitsche entdeckt, die über dem Bettende hing. Die Peitschenschnur war am Stiel so festgebunden, daß sie eine Schlinge bildete.

„Was hältst du davon, Watson?“

„Eine ganz alltägliche Peitsche. Aber warum ist sie nur so festgebunden?“

„Das ist nicht ganz so alltäglich, was? Miss Stoner, ich habe genug gesehen. Ich danke Ihnen.“

So grimmig entschlossen und so ernst hatte ich Holmes noch nie gesehen. Wir verließen das Haus und gingen auf dem Rasen auf und ab. Weder Miss Stoner noch ich wagten es, ihn zu stören. Endlich blickte er auf.

„Ihr Leben hängt davon ab, Miss Stoner“, sagte er, „daß Sie sich in jedem einzelnen Punkt so verhalten werden, wie ich es Ihnen jetzt sagen werde.“

„Ich verspreche es Ihnen."

„Dr. Watson und ich werden diese Nacht in Ihrem Zimmer verbringen."

Miss Stoner und ich blickten ihn verblüfft an.

„Ich will es Ihnen erklären. Wenn ich mich nicht täusche, liegt in dieser Richtung das Dorfgasthaus?"

„Ja, die ‚Krone'."

„Sehr gut. Kann man denn von dort Ihre Fenster auch sehen?"

„Ja."

„Sie müssen auf Ihrem Zimmer bleiben, wenn Ihr Stiefvater zurückkommt. Erfinden Sie eine Ausrede. Sagen Sie, Sie hätten Kopfweh. Wenn Sie hören, daß er in sein Zimmer geht, stellen Sie die Lampe als Zeichen für uns auf. Gehen Sie dann leise in das Zimmer, in dem Sie sonst schlafen. Sicher wird das trotz der Bauarbeiten für eine Nacht möglich sein."

„O ja, das geht."

„Den Rest überlassen Sie uns."

„Was wollen Sie tun?"

„Wir werden die Nacht in Ihrem Zimmer verbringen, dem Zimmer Ihrer Schwester, um genau zu sein, und uns mit den Geräuschen beschäftigen, die Sie gehört haben."

„Ich habe das Gefühl, Mr. Holmes, daß Sie bereits zu einem Schluß gekommen sind", sagte Miss Stoner. Sie legte ihre Hand auf Holmes' Arm.

„Vielleicht."

„Dann flehe ich Sie an: Sagen Sie mir, wie meine Schwester gestorben ist!"

„Ich möchte Beweise haben, ehe ich darüber spreche."

„Sagen Sie mir wenigstens, ob meine Vermutung stimmt, daß sie sich zu Tode erschreckt hat."

„Nein, das glaube ich nicht. Jetzt müssen wir Sie aber verlassen, Miss Stoner. Wenn Dr. Roylott zurückkäme und uns hier fände, dann wäre alles vergebens. Leben Sie wohl. Seien Sie tapfer. Wenn Sie meinen Rat genau befolgen, werden wir dem Spuk bald ein Ende bereitet haben."

Wir mieteten in der „Krone" ein Zimmer. Von unserem Fenster aus konnten wir das Eingangstor und den Wohnflügel des Gutshauses beobachten.

Bei Einbruch der Dunkelheit sahen wir Dr. Grimesby Roylott zurückkommen. Ein wenig später ging in einem der Wohnzimmer das Licht an.

„Ich muß gestehen, Watson", sagte Holmes, als wir im Dunkeln am Fenster saßen, „es sind mir Bedenken gekommen, dich heute nacht mitzunehmen. Die Sache ist sehr gefährlich."

„Kann ich dir dabei helfen?"

„Deine Gegenwart kann von großem, unschätzbarem Wert sein."

„Dann komme ich auf jeden Fall mit."

„Ich danke dir."

„Du sprichst von Gefahr. Natürlich hast du wieder mehr gesehen als ich."

„Nein, vielleicht gehen nur meine Schlußfolgerungen etwas weiter. Ich denke doch, daß du genausoviel bemerkt hast wie ich."

„Außer dieser Klingelschnur fiel mir eigentlich nichts Außergewöhnliches auf."

„Hast du den Ventilator gesehen?"

„Ja, trotzdem finde ich es nicht so ungewöhnlich. Im übrigen ist die Öffnung zum anderen Zimmer so klein, daß kaum eine Maus durchschlüpfen könnte."

„Ich wußte von diesem Ventilator, ehe wir überhaupt nach Stoke Moran kamen."

„Na, na ..."

„Erinnerst du dich, daß sie uns erzählte, ihre Schwester habe gerochen, daß Dr. Roylott in seinem Zimmer eine Zigarre rauchte? Es war also anzunehmen, daß zwischen diesen beiden Räumen eine Verbindung bestand. Ich tippte auf einen Ventilator."

„Nun gut, aber was ist Schlimmes an einem Ventilator?"

„Die eigenartige zeitliche Übereinstimmung. Ein Ventilator wird installiert, eine Klingelschnur wird angebracht, eine junge Dame, die im Bett schläft, stirbt unvermittelt."

„Ich kann immer noch keinen Zusammenhang entdecken."

„Das Bett. Fiel dir daran nichts Ungewöhnliches auf?"

„Nein."

„Es war am Fußboden festgeschraubt. Hast du je schon einmal ein festgeschraubtes Bett gesehen?"

„Nein, nicht daß ich wüßte."

„Die junge Dame konnte ihr Bett nicht verschieben. Ventilator und Seil – so können wir es ruhig nennen, denn eine Klingelschnur war es nie – mußten immer in gleichbleibender Entfernung vom Bett sein."

„Holmes", rief ich, „ich glaube, langsam verstehe ich. Wir sind wirklich im letzten Augenblick gekommen, um ein zweites Verbrechen zu verhindern."

„Teuflisch und klug. Ein Arzt, der zum Verbrecher wird, ist besonders gefährlich. Er ist kaltblütig, und er kennt viele Mittel und Wege. Heute nacht können wir ausziehen, das Fürchten zu lernen."

Gegen neun Uhr gingen die Lichter zwischen den Bäumen aus. Das Gutshaus versank im Dunkel. Zwei Stunden vergingen. Plötzlich, Punkt elf, leuchtete ein einzelnes helles Licht auf.

„Unser Zeichen!" Holmes sprang auf. „Es ist das mittlere Fenster."

Durch die dunkle Straße fegte ein kalter Wind. Es war nicht schwierig, in den Park zu gelangen. Im Schutze der Bäume schlichen wir leise bis zum Rasen. Wir wollten eben durchs Fenster steigen, als aus dem verwilderten Buschwerk ein dunkler Schatten hervorstürzte. Er sah aus wie ein grausig verkrüppeltes Kind, warf sich mit zuckenden Gliedern ins Gras und verschwand dann schnellfüßig in der Dunkelheit.

„Mein Gott!" flüsterte ich. „Hast du gesehen?"

Holmes war im ersten Augenblick genauso erschrocken wie ich. Seine Finger schlossen sich mit hartem Griff um mein Handgelenk. Dann fing er leise an zu lachen.

„Ein reizender Haushalt", flüsterte er, „das war der Pavian."

Ich hatte die seltsamen Haustiere des Doktors völlig vergessen. Da war ja auch noch ein Leopard; wenn wir Glück hatten, konnte er uns jeden Moment anspringen. Ich muß gestehen, daß ich aufatmete, als ich schließlich mit Holmes zusammen im Schlafzimmer angelangt war. Er schloß behutsam die Läden, stellte die Lampe auf den Tisch und blickte sich im Zimmer um. Es war alles unverändert.

Holmes kam ganz nahe zu mir heran und flüsterte beinahe unhörbar an meinem Ohr:

„Das geringste Geräusch kann alles verderben."

Ich nickte, zum Zeichen, daß ich verstanden hatte.

„Schlafe nur nicht ein! Es könnte dich das Leben kosten. Revolver bereit? Ich setze mich aufs Bett, nimm du den Stuhl."

Ich legte meinen Revolver vor mich auf den Tisch.

Holmes hatte einen langen dünnen Rohrstock mitgebracht und legte ihn neben sich aufs Bett, daneben eine Schachtel mit Streichhölzern und einen Kerzenstumpf. Schließlich löschte er die Lampe.

Wir saßen im Dunkeln. Aus der Ferne hörten wir alle Viertelstunde die tiefen Glockentöne der Kirchenuhr. Eine Ewigkeit schien zwischen diesen Tönen zu liegen! Zwölf Uhr. Eins, zwei. Um drei Uhr saßen wir immer noch in fieberhafter Spannung und warteten auf etwas, das wir nicht kannten.

Plötzlich fiel ein Lichtstrahl durch den Ventilator. Er erlosch sofort wieder. Ich hörte, wie sich im

Nebenzimmer jemand leise bewegte. Dann war wieder alles still. Eine halbe Stunde lang lauschte ich angespannt. Dann hörte ich plötzlich wieder etwas – ein schwaches, zischendes Geräusch.

Im gleichen Augenblick sprang Holmes vom Bett auf und schlug wie wild mit seinem Stock auf die Klingelschnur ein.

„Siehst du sie, Watson?“ schrie er gellend. „Siehst du sie?“

Ich sah nichts. Als ich die Kerze anzündete, hörte ich ein leises klares Pfeifen. Der Lichtschein blendete mich aber so, daß ich nicht erkennen konnte, worauf Holmes so wild einhieb. Ich sah nur sein bleiches, verzerrtes Gesicht.

Er hielt seinen Stock nun ruhig in der Hand und starrte zum Ventilator hinauf, als plötzlich die Stille der Nacht durch einen grauenhaften, ja markerschütternden Schrei zerrissen wurde. Schmerz, Angst und Wut vereinten sich zu einem entsetzlichen, heiseren Gebrüll. Ich starrte wie gelähmt auf Holmes, bis die Schreie erstarben und uns wieder die Stille der Nacht umgab.

„Vielleicht ist es so am besten“, sagte Holmes. „Nimm deinen Revolver, wir gehen in Dr. Roylotts Zimmer.“

Er zündete die Lampe an und öffnete die Tür zum Korridor. Er klopfte zweimal. Es kam keine Antwort. Dann drückte er die Türklinke nieder und trat ein. Ich folgte ihm mit entsichertem Revolver.

Auf dem Tisch stand eine Sturmlaterne. Ihr Licht

fiel auf den Safe, dessen Tür weit offenstand. Neben dem Tisch saß Dr. Grimesby Roylott in einem langen grauen Morgenrock, die nackten Füße in flachen roten Türkenpantoffeln. Auf seinem Schoß lag die Hundepeitsche.

Seine schrecklich starren Augen waren auf eine Ecke der Zimmerdecke gerichtet. Um seine Stirn wand sich ein eigenartiges gelbes Band mit bläulichen Tupfen. Er rührte sich nicht.

„Das Band! Das gesprenkelte Band!" flüsterte Holmes.

Ich trat einen Schritt vor. In der gleichen Sekunde begann der unheimliche Kopfschmuck sich zu bewegen. Aus den Haaren des Doktors erhob sich der flache Kopf einer Schlange.

„Eine ‚Swamp adder'!" schrie Holmes. „Die gefährlichste Schlange Indiens. Ihr Biß tötet in zehn Sekunden."

Er nahm dem Toten die Hundepeitsche aus den Händen, warf dem Reptil blitzschnell die Schlinge um den Hals und trug es mit weitausgestreckten Armen zum Safe zurück. Die schwere Tür schlug zu.

So starb Dr. Grimesby Roylott von Stoke Moran.

Als der Tag kam, setzten wir die verstörte Miss Stoner in den Zug, der sie nach Harrow zu ihrer Tante brachte. Erst als wir nach London zurückfuhren, klärte Holmes mich über die letzten, mir noch dunklen Punkte auf.

„Ich war zu einem völlig falschen Schluß gekommen, Watson. Das beweist wieder einmal, wie gefährlich es sein kann, aus unzulänglichen Unterlagen Schlüsse zu ziehen. Die Anwesenheit der Zigeuner und die letzten gestammelten Worte, mit denen das arme Mädchen zweifellos das Schreckliche beschreiben wollte, das sie im flackernden Licht ihres Streichholzes gesehen hatte, brachten mich auf eine vollkommen falsche Spur, die Zigeuner nämlich. Korrigieren konnte ich mich erst in dem Augenblick, als ich erkannte, daß die Gefahr weder vom Fenster noch von der Tür her kommen konnte.

Meine ganze Aufmerksamkeit galt jetzt dem Ventilator und der Klingelschnur. Die Entdeckung, daß es sich dabei um eine Attrappe handelte und daß das Bett am Fußboden festgeschraubt war, erweckte sogleich in mir den Verdacht, daß das Seil nur als Brücke dienen konnte. Ich dachte sofort an eine Schlange. Da mir bekannt war, daß der Doktor indische Tiere hielt, baute ich diese Theorie aus.

Siehst du, Watson, die Idee, den Mord mit Hilfe eines Giftes auszuführen, das nicht nachgewiesen werden kann, paßte sehr gut zu einem klugen und kaltblütigen Mann, der lange Jahre im Osten gelebt hat. Wichtig für ihn war auch die schnelle Wirksamkeit des Giftes. Daß bei einer Untersuchung die zwei kleinen dunklen Punkte, die die Giftzähne hinterlassen hatten, bemerkt würden, war unwahrscheinlich.

Dann das Pfeifen. Dr. Roylott mußte die Schlange ja wieder zurückrufen. Wahrscheinlich hat er sie abgerichtet, auf seinen Pfiff hin zurückzukommen.

Er ließ sie also durch den Ventilator kriechen. Sie mußte an dem Seil auf das Bett hinabgleiten, eine andere Möglichkeit gab es nicht. Ob sie nun gleich beim erstenmal zubiß oder nicht, konnte er zwar nicht im voraus wissen, aber früher oder später mußte es geschehen, und das Opfer war rettungslos verloren.

Soviel war mir bereits klar, als ich das Zimmer des Doktors betreten hatte. Als ich dann noch den Stuhl untersuchte, sah ich, daß er oft auf dem Sitz gestanden haben mußte, und das war natürlich unumgänglich, wenn er zum Ventilator reichen wollte. Der Safe, das Schälchen Milch, die zu einer Schlinge geknüpfte Peitschenschnur – das alles gab mir die letzte Gewißheit.

Das Metallgeräusch, das Miss Stoner gehört hatte, rührte offensichtlich daher, daß der Doktor die Tür zum Safe etwas zu hastig hinter dem unheimlichen Tier geschlossen hatte.

Soviel also wußte ich, als ich die Schlange zischen hörte. Ich schlug auf sie ein."

„Du triebst sie wieder durch den Ventilator zurück."

„Nicht nur das. Ich reizte sie damit so, daß sie auf ihren Herrn losging. Indirekt also trifft mich die Schuld an Dr. Grimesby Roylotts Tod, aber ich muß gestehen, Watson, diese Schuld lastet nicht allzu schwer auf meinem Gewissen."

Dorothy L. Sayers

Gift im Portwein

„Guten Morgen, Miss“, sagte Mr. Montague Egg, als die Tür aufging, und riß mit theatralischer Gebärde seinen schicken Filzhut vom Kopf. „Sehen Sie, da bin ich wieder. Sie haben mich doch nicht vergessen? Gut so, denn eine junge Dame wie Sie könnte ich in hundert Jahren nicht vergessen. Wie geht's denn Seiner Lordschaft heute? Ob er mich wohl auf ein paar Minütchen empfangen wird?“ Er lächelte liebenswürdig, getreu dem Motto Nummer zehn im Handbuch des Reisenden, das da lautete: „Geschäfte gehen allzumal am besten übers Personal.“

Das Hausmädchen indessen wirkte nervös und betreten. „Ich weiß nicht – doch, ja, treten Sie ein. Seine Lordschaft – das heißt – ich fürchte –“

Mr. Egg, den Musterkoffer in der Hand, trat prompt ins Haus und sah sich zu seiner großen Überraschung einem Polizisten gegenüber, der ihn recht verdrießlich nach seinem Namen und Begehr fragte.

„Ich bin Reisevertreter von Plummet & Rose, Weine und Spirituosen, in Piccadilly“, antwortete Mr. Egg im Tone dessen, der nichts zu verbergen hat. „Hier ist meine Karte. Was ist denn los, Sergeant?“

„Plummet & Rose?“ meinte der Polizist. „Ach, dann nehmen Sie doch bitte einen Augenblick Platz, ja? Ich könnte mir vorstellen, daß der Inspektor gern ein Wörtchen mit Ihnen reden möchte.“

Mr. Egg wunderte sich zwar mehr und mehr, setzte sich jedoch gehorsam hin, und Minuten später wurde er in ein kleines Wohnzimmer gebeten, in dem sich schon ein uniformierter Polizeiinspektor und noch ein weiterer Polizist mit Notizbuch befanden.

„Aha!“ sagte der Inspektor. „Nehmen Sie doch bitte Platz, Mr. – äh, ach ja – Egg. Sie könnten uns vielleicht ein wenig Licht in diese Angelegenheit bringen. Wissen Sie zufällig etwas von einer Kiste Portwein, die letztes Frühjahr an Lord Borrodale geliefert wurde?“

„Gewiß“, antwortete Mr. Egg, „falls Sie den Dow 1908 meinen. Dieses Geschäft habe ich selbst abgeschlossen. Sechs Dutzend à 192 Shilling das Dutzend. Bei mir persönlich bestellt am 3. März. Am 8. März von unserer Hauptniederlassung abgesandt, Empfang bestätigt am 10. März, Rechnung mit Scheck beglichen. Alles in Ordnung, soweit es uns betrifft. Es ist doch hoffentlich nichts mit dem Wein? Wir haben keine Beschwerde bekommen. Eigentlich bin ich jetzt sogar hier, um Seine Lordschaft zu fragen, wie ihm der Portwein gemundet hat und ob er vielleicht eine weitere Bestellung aufzugeben wünscht.“

„Soso“, meinte der Inspektor. „Sie kommen also heute rein zufällig auf Ihrer gewohnten Runde hier vorbei? Ohne besonderen Anlaß?“

Mr. Egg, inzwischen überzeugt, daß hier etwas sehr im argen lag, zückte zur Antwort sein Auftragsbuch nebst Reiseplan und reichte beides dem Inspektor.

„Tja“, machte der Inspektor nach kurzer Prüfung. „Das ist allem Anschein nach in Ordnung. Nun, Mr. Egg, ich muß Ihnen zu meinem Bedauern sagen, daß Lord Borrodale heute morgen tot in seinem Arbeitszimmer gefunden wurde, und die Umstände legen die Vermutung nahe, daß er Gift zu sich genommen hat. Zudem hat es mehr und mehr den Anschein, daß ihm das Gift in einem Glas von Ihrem Portwein verabreicht wurde.“

„Was Sie nicht sagen!“ rief Mr. Egg „Das betrübt mich aber sehr. Auch für unser Haus ist das gewiß nicht gut. Was nicht heißen soll, daß mit dem Wein etwas nicht in Ordnung gewesen wäre, als er ausgeliefert wurde. Es wäre ja auch nicht gut fürs Geschäft, wenn wir hingingen und unsern Weinen irgendwelche komischen Dinge beimischten, das brauche ich Ihnen sicher nicht zu sagen. Aber an dieser Art Reklame ist uns natürlich gar nicht gelegen. Wie kommen Sie übrigens darauf, daß es der Portwein war?“

Zur Antwort schob der Inspektor ihm eine gläserne Karaffe hin, die auf dem Tisch stand.

„Bilden Sie sich selbst Ihre Meinung. Schon gut – wir haben die Karaffe bereits auf Fingerabdrücke untersucht. Hier ist auch ein Glas, falls Sie Wert drauf legen, aber ich würde Ihnen nicht empfehlen, etwas davon hinunterzuschlucken – sofern Sie nicht des Lebens überdrüssig sind.“

Mr. Egg schnupperte vorsichtig an der Karaffe und zog die Stirn kraus. Er goß ein wenig ins Glas und runzelte noch mehr die Stirn. Dann nahm er vorsichtig einen Tropfen auf die Zunge – und spuckte ihn so gesittet wie möglich, aber unverzüglich in den nächsten Blumentopf. „Ach Gott, ach Gott", sagte Mr. Montague Egg. Sein ganzes Gesicht war jetzt eine einzige Kummerfalte. „Das schmeckt ja, als ob der alte Herr seine Zigarrenstummel hineingeworfen hätte."

Der Inspektor und der Polizist sahen sich kurz an.

„Da liegen Sie gar nicht so verkehrt", sagte der Inspektor. „Der Arzt hat den Obduktionsbericht noch nicht ganz fertig, aber seiner Ansicht nach handelt es sich um eine Nikotinvergiftung. Die Sache ist nun die: Lord Borrodale pflegte jeden Abend nach dem Essen ein paar Gläschen Portwein in seinem Arbeitszimmer zu sich zu nehmen. Gestern abend wurde ihm der Wein wie gewohnt um neun Uhr gebracht. Es war eine neue Flasche, und Craven – das ist der Butler – hatte sie in so einem Korbgestell direkt aus dem Keller geholt –"

„In einer Wiege", warf Mr. Egg ein.

„Meinetwegen in einer Wiege. James, der Diener, folgte ihm mit der Karaffe nebst Glas auf einem Tablett. Lord Borrodale inspizierte die Flasche, die noch das Originalsiegel trug, dann entkorkte Craven sie und füllte den Wein vor den Augen Lord Borrodales und des Dieners in die Karaffe um. Beide Dienstboten verließen dann das Zimmer und zogen sich in den Küchenbereich zurück, und im Gehen hörten sie noch, wie Lord Borrodale die Arbeitszimmertür hinter ihnen abschloß."

„Wozu denn das?“

„Das machte er anscheinend immer so. Er schrieb an seinen Memoiren – Sie wissen ja, daß er ein berühmter Richter war –, und da die Unterlagen, die er dazu benutzte, zum Teil sehr vertraulich waren, hielt er es wohl für besser, sich gegen unerwünschte Störungen zu sichern. Am Morgen stellte man fest, daß Lord Borrodale gar nicht im Bett gewesen war. Die Arbeitszimmertür war noch zugeschlossen, und als man sie aufbrach, fand man ihn tot auf dem Boden liegen. Es sah so aus, als ob ihm plötzlich übel geworden wäre und er versucht hätte, an die Glocke zu kommen, auf dem Weg dorthin aber zusammengebrochen wäre. Der Arzt meint, er müsse gegen zehn Uhr gestorben sein.“

„Selbstmord?“ mutmaßte Mr. Egg.

„Hm, dem stehen gewisse Schwierigkeiten entgegen. Zum einen die Lage der Leiche. Außerdem haben wir das Zimmer sorgfältig durchsucht und keine Spur von einer Flasche oder etwas Ähnlichem gefunden, worin er das Gift aufbewahrt haben könnte. Außerdem hat er doch allem Anschein nach sein Leben genossen. Er hatte keine finanziellen oder familiären Sorgen, und trotz fortgeschrittenen Alters erfreute er sich ausgezeichneter Gesundheit. Warum hätte er sich das Leben nehmen sollen?“

„Wenn nicht“, wandte Mr. Egg ein, „wieso ist ihm dann nicht aufgefallen, wie scheußlich dieser Wein roch und schmeckt?“

„Nun, er scheint eine ziemlich schwere Zigarre

dazu geraucht zu haben“, sagte der Inspektor (Mr. Egg schüttelte mißbilligend den Kopf), „und wie ich höre, litt er an einer kleinen Erkältung, so daß sein Geschmacks- und sein Geruchssinn vielleicht nicht ganz in Ordnung waren. Auf der Karaffe und dem Glas sind außer seinen Fingerabdrücken nur die des Butlers und des Dieners – was allerdings nicht dagegen spricht, daß jemand in eines der beiden Gift hätte tun können. Aber außerdem war ja noch die Tür zugeschlossen, und die Fenster waren beide einbruchsicher von innen verriegelt.“

„Und die Karaffe?“ fragte Mr. Egg, eifersüchtig auf den Ruf seiner Firma bedacht. „War die sauber, als sie hereingebracht wurde?“

„O ja. Unmittelbar bevor James sie ins Arbeitszimmer trug, hat er sie ausgespült; die Köchin schwört, das gesehen zu haben. Er hat sie mit Leitungswasser gespült und dann mit einem Tropfen Cognac ausgeschwenkt.“

„Ganz wie sich's gehört“, sagte Mr. Egg beifällig.

„Und der Cognac war auch einwandfrei, denn Craven hat hinterher selbst ein Glas davon getrunken – gegen sein Herzklopfen, wie er sagt.“ Der Inspektor sog bedeutungsvoll die Luft durch die Nase ein. „Das Glas wurde von James ausgewischt, bevor er es aufs Tablett stellte, dann wurde alles zusammen ins Arbeitszimmer gebracht. Nichts wurde irgendwann einmal abgestellt oder auf dem Weg zwischen Anrichtezimmer und Arbeitszimmer auch nur einen

Moment aus den Augen gelassen, aber Craven erinnert sich, daß Miss Waynfleet ihn, als er durch die Diele ging, kurz angehalten und mit ihm über irgendwelche Anordnungen für den nächsten Tag gesprochen hat."

„Miss Waynfleet? Das ist doch die Nichte, ja? Ich habe sie bei meinem letzten Besuch kennengelernt. Eine bezaubernde junge Dame."

„Lord Borrodales Erbin", ergänzte der Inspektor bedeutungsvoll.

„Eine sehr *nette* junge Dame", betonte Mr. Egg. „Und wenn ich Sie richtig verstanden habe, trug Craven nur die Wiege mit dem Portwein, nicht aber die Karaffe oder das Glas?"

„So ist es."

„Nun, dann wüßte ich nicht, wie sie etwas in die Gefäße hätte tun können, die James trug." Mr. Egg legte eine Kunstpause ein. „Jetzt zu dem Siegel auf dem Korken – Sie sagten, Lord Borrodale habe es gesehen?"

„Ja, und Craven und James ebenfalls. Sie können es sich selbst ansehen, wenn Sie wollen – oder was noch davon übrig ist."

Der Inspektor zog einen Aschenbecher vor, in dem sich ein paar Stückchen dunkelblauen Siegellacks nebst einer geringen Menge Zigarrenasche befanden. Mr. Egg untersuchte sie eingehend.

„Das ist unser Wachs und unser Siegel", erklärte er. „Der obere Teil der Korkens wurde mit einem scharfen Messer sauber abgetrennt, und die Prägung ist noch intakt. ‚Plummet & Rose. Dow 1908.‘ Soweit alles in Ordnung. Was ist mit dem Seiher?“

„Am Nachmittag noch vom Küchenmädchen in kochendem Wasser ausgewaschen. Unmittelbar vor Gebrauch noch einmal ausgewischt von James und dann zusammen mit Karaffe und Glas auf dem Tablett ins Zimmer getragen. Mit der Flasche wieder herausgebracht und sofort ausgespült – leider, sonst könnte er uns natürlich Auskunft darüber geben, wann das Nikotin in den Portwein gekommen ist.“

„Also“, sagte Mr. Egg entschieden, „bei uns ist es jedenfalls nicht hineingekommen. Zudem glaube ich nicht einmal, daß es überhaupt in der Flasche war. Wie denn auch? Wo ist die Flasche übrigens?“

„Sie wurde eben eingepackt, um an den Gerichtschemiker geschickt zu werden, glaube ich“, sagte der Inspektor. „Aber da Sie einmal hier sind, ist es vielleicht besser, Sie schauen sie sich einmal kurz an. Podgers, geben Sie uns noch einmal die Flasche. Fingerabdrücke sind übrigens keine darauf, außer denen von Craven, also wurde anscheinend nichts daran manipuliert.“

Der Polizist griff nach einem braunen Päckchen, aus dem er eine Portweinflasche nahm, die mit einem frischen Korken verschlossen war. Teilweise befand sich noch der Kellerstaub darauf, vermischt mit dem Pulver für die Fingerabdrücke. Mr. Egg zog den Korken heraus und schnupperte ausgiebig am Inhalt. Dann veränderte sich sein Gesichtsausdruck.

„Woher haben Sie diese Flasche?“ fragte er scharf.

„Von Craven. Natürlich war sie mit das erste, was wir sehen wollten. Er hat uns in den Keller geführt und sie uns gezeigt."

„Stand die Flasche für sich allein oder irgendwo mit anderen zusammen?"

„Sie stand auf dem Kellerboden am Ende einer langen Reihe leerer Flaschen, die alle zur selben Kiste gehörten; er hat uns erklärt, daß er sie immer in der Reihenfolge des Verbrauchs auf den Boden stellt, bis sie irgendwann wieder abgeholt werden."

Mr. Egg neigte bedächtig die Flasche; ein paar Tropfen der dicken roten Flüssigkeit, getrübt von aufgeschütteltem Bodensatz, perlten in das Weinglas. Er roch daran und kostete davon. Seine Stupsnase wirkte kampflustig.

„Nun?" fragte der Inspektor.

„Da ist jedenfalls kein Nikotin drin", sagte Mr. Egg, „sofern mich meine Nase nicht trügt, was aber wenig wahrscheinlich ist, wie Sie verstehen werden, Inspektor, denn meine Nase ist gewissermaßen mein Lebensunterhalt. Nein. Sie müssen sie natürlich zur Untersuchung schicken, das verstehe ich: aber ich wäre bereit, ein kleines Vermögen darauf zu wetten, daß man diese Flasche völlig harmlos finden wird. Und das wird, wie ich Ihnen wohl nicht zu sagen brauche, auch für uns eine große Erleichterung sein. Und wenn Sie mir eine persönliche Bemerkung gestatten, ich weiß es sehr zu schätzen, wie schonend Sie mir die Sache unterbreitet haben."

„Schon gut. Ihre Expertenkenntnisse sind wertvoll

für uns. Wahrscheinlich können wir die Flasche jetzt von vornherein ausschließen und uns ganz auf die Karaffe konzentrieren."

„So ist es", antwortete Mr. Egg. „Hm – ja. Wissen Sie zufällig, wie viele von den sechs Dutzend Flaschen schon ausgetrunken wurden?"

„Nein, aber das kann Craven uns sicher sagen, wenn Sie es unbedingt wissen wollen."

„Nur zu meiner eigenen Beruhigung", sagte Mr. Egg. „Nur um sicherzugehen, daß dies auch wirklich die richtige Flasche ist. Es wäre mir unangenehm, glauben zu müssen, ich hätte Sie in irgendeiner Weise irregeführt."

Der Inspektor läutete, und prompt erschien der Butler – ein schon älterer Mann von ausgesprochen respektabler Erscheinung.

„Cravan", sagte der Inspektor, „dieser Herr ist Mr. Egg von der Firma Plummet & Rose."

„Mr. Egg ist mir bereits bekannt."

„Eben. Er interessiert sich verständlicherweise für die Geschichte dieses Portweins und möchte nun gern wissen – was genau möchten Sie eigentlich wissen, Mr. Egg?"

„Diese Flasche", sagte Monty, indem er sie leicht mit dem Fingernagel antippte, „ist das die einzige, die Sie gestern abend geöffnet haben?"

„Ja, Sir."

„Ganz bestimmt?"

„Ja, Sir."

„Wie viele Dutzend haben Sie noch davon?"

„Das kann ich Ihnen ohne das Kellerbuch nicht genau sagen, Sir."

„Und das Kellerbuch befindet sich natürlich im Keller, ja? Ich würde mir Ihren Keller gern einmal ansehen – er soll sehr gut sein. Alles in schönster Ordnung, da bin ich ganz sicher. Richtige Temperatur und so weiter?"

„Selbstverständlich, Sir."

„Sehen wir uns den Keller doch alle zusammen an", schlug der Inspektor vor. Bei allem nach außen gezeigten Vertrauen schien er es doch nicht für ratsam zu halten, Mr. Egg mit dem Butler allein zu lassen.

Craven verneigte sich und ging voran, nachdem er nur rasch noch seine Schlüssel aus dem Anrichtezimmer geholt hatte.

„Dieses Nikotin", plauderte Mr. Egg weiter, während sie durch einen langen Korridor gingen, „ist das ein sehr gefährliches Gift? Ich meine, würde man viel davon brauchen, um einen Menschen zu töten?"

„Wie ich den Doktor verstanden habe", antwortete der Inspektor, „genügen ein paar Tropfen des reinen Extrakts, oder wie immer man das nennt, um innerhalb einer Zeit von sieben Minuten bis zu sieben, acht Stunden den Tod herbeizuführen."

„Mein Gott!" sagte Mr. Egg. „Und wieviel von dem Portwein hat der arme alte Herr getrunken? Die vollen zwei Gläser?"

„Ja, Sir, am Inhalt der Karaffe gemessen. Lord Borrodale hatte die Angewohnheit, seinen Portwein einfach hinunterzuschütten. Er pflegte ihn nicht schlückchenweise zu genießen."

Mr. Egg war untröstlich.

„Das ist aber gar nicht gut", sagte er betrübt. „Nein, wahrhaftig nicht. Erst schnuppern, dann schlürfen, dann schmecken, nur so kann man die Blume entdecken – alte Weintrinkerregel. Gibt es hier so etwas wie einen Teich oder Bach im Garten, Mr. Craven?"

„Nein, Sir", antwortete der Butler leicht erstaunt.

„Aha! War nur eine Frage. Irgend jemand muß ja das Nikotin in irgendeinem Gefäß hierhergebracht haben, nicht? Was würde er mit dem Fläschchen, oder was es sonst war, hinterher machen?"

„Er hätte es leicht ins Gebüsch werfen oder irgendwo vergraben können", meinte Craven. „Zu diesem Anwesen gehören zweieinhalb Hektar Garten, die Wiese und den Hof nicht mitgerechnet. Außerdem sind da noch die Regentonnen und der Brunnen."

„Wie dumm von mir!" gestand Mr. Egg. „An die habe ich gar nicht gedacht. Und hier ist also der Keller, ja? Großartig – piekfein, das muß ich sagen. Gleichbleibende Temperatur sommers wie winters, wie? Weit genug weg von der Heizungsanlage?"

„Selbstverständlich, Sir. Die Heizungsanlage ist auf der andern Seite des Hauses. Vorsicht bei der letzten Stufe, meine Herren; da ist ein Stück herausgebrochen. Und hier, Sir, ist der Dow 1908. Kiste 17 – eins, zwei, noch dreieinhalb Dutzend übrig, Sir."

Mr. Egg nickte und richtete den Strahl seiner elektrischen Taschenlampe auf die vorstehenden Flaschenhälse, um die Siegel eingehend zu prüfen.

„Stimmt“, sagte er, „das sind sie. Dreieinhalb Dutzend, wie Sie sagen. Ein trauriger Gedanke, daß die Kehle, durch die sie hätten fließen sollen, sozusagen vom Tod verschlossen wurde. Ich mache mir auf meinen Runden oft Gedanken darüber, wie schade es doch ist, daß wir im Alter nicht ebenfalls reifer und milder werden wie dieser Wein. Lord Borrodale war nach allem, was ich gehört habe, ein feiner alter Herr, allerdings auch ein harter Brocken, wenn es nicht respektlos ist, so etwas zu sagen.“

„Er war hart, Sir“, pflichtete der Butler ihm bei, „aber gerecht. Ein sehr gerechter Mann.“

„Eben“, meinte Mr. Egg. „Und hier, das ist demnach das Leergut. Zwölf, vierundzwanzig, neunundzwanzig – und eine macht dreißig – und dreieinhalb Dutzend, das sind zweiundvierzig – zusammen zweiundsiebzig, sechs Dutzend – das scheint zu stimmen.“ Er hob die Flaschen nacheinander hoch. „Es heißt ja, Tote reden nicht, aber leere Flaschen reden – jedenfalls zum lieben Monty Egg. Zum Beispiel diese Flasche hier. Wenn sich darin je ein Dow 1908 von Plummet & Rose befand, dürfen Sie mich in die Pfanne schlagen und zu Rührei verarbeiten. Der Geruch stimmt nicht, der Bodensatz stimmt nicht, und dieser Klecks Tünche stammt auch nicht von unserem Kellermeister. Leere Flaschen kann man ja so leicht verwechseln. Zwölf, vierundzwanzig, achtundzwanzig und eine macht neunundzwanzig. Nun frage ich mich aber, wo die dreißigste Flasche geblieben ist."

„Ich habe bestimmt keine weggenommen", beteuerte der Butler.

„Die Schlüssel – an einem Nagel hinter der Tür zum Anrichteraum – leicht zugänglich", meinte Monty.

„Einen Augenblick", unterbrach der Inspektor. „Wollen Sie damit sagen, daß diese Flasche nicht zur selben Sendung Portwein gehört?"

„Ganz recht – aber zweifellos liebte Lord Borrodale hin und wieder eine Abwechslung." Mr. Egg drehte die Flasche um und schüttelte sie kräftig. „Vollkommen trocken. Sehr merkwürdig. Und eine tote Spinne auf dem Boden. Sie würden sich wundern, wie lange eine Spinne ohne Nahrung auskommt. Seltsam, daß diese Flasche, die mitten in der Reihe steht, trockener sein soll als die am Anfang der Reihe, und dann ist auch noch eine tote Spinne darin. In unserem Beruf bekommen wir so einiges zu sehen, Inspektor – wir sind gewissermaßen darauf geeicht, so etwas zu bemerken. ‚Wer die Augen offenhält, findet auch das große Geld.' Diese Flasche hier kann man schon als Merkwürdigkeit bezeichnen. Und noch etwas ist merkwürdig. Diese andere Flasche, Craven – die eine, die Sie gestern abend geöffnet haben – wie konnte Ihnen nur ein solcher Fehler unterlaufen? Wenn ich meiner Nase trauen kann, von meinem Gaumen ganz zu schweigen, war diese Flasche schon mindestens eine Woche offen."

„Kann das sein, Sir? Ich bin ganz sicher, daß es die war, die ich hier ans Ende der Reihe gestellt habe. Da muß jemand hingegangen sein und sie vertauscht haben."

„Aber –" begann der Inspektor. Dann hielt er mitten im Satz inne, als ob ihm plötzlich ein Gedanke gekommen wäre. „Ich glaube, Sie händigen mir am besten Ihre Kellerschlüssel aus, Craven, damit wir den Keller gründlich untersuchen können. Das wär's im Augenblick. Wenn Sie noch einmal mit mir nach oben kommen könnten, Mr. Egg – ich habe etwas mit Ihnen zu bereden."

„Stets gern zu Diensten", antwortete Monty liebenswürdig, und sie kehrten gemeinsam ans Tageslicht zurück.

„Ich weiß nicht, ob Ihnen klar ist, Mr. Egg", begann der Inspektor, „was Sie da eben gesagt haben, beziehungsweise welche Folgerungen sich daraus ergeben. Wenn diese Flasche, wie Sie sagen, nicht die richtige ist, muß jemand sie absichtlich vertauscht haben, und die richtige ist verschwunden. Hinzu kommt, daß der- oder diejenige, die den Tausch vornahm, keine Fingerabdrücke hinterlassen hat."

„Ich verstehe, was Sie meinen", sagte Mr. Egg, der diesen Schluß schon vor geraumer Zeit gezogen hatte, „und es sieht außerdem so aus, als ob das Gift eben doch in der Flasche gewesen wäre. Das sind, wie Sie eben sagen wollten, höchst unerfreuliche Aussichten für Plummet & Rose, nachdem doch kein Zweifel besteht, daß unser Siegel auf der Flasche war, als sie in

Lord Borrodales Zimmer gebracht wurde. Ich leugne es nicht, Inspektor. Da hilft kein Jammern und kein Wehgeschrei, an Tatsachen führt nun mal kein Weg vorbei – ein sehr nützliches Motto für jeden, der es in meinem Gewerbe zu etwas bringen will."

„Nun gut, Mr. Egg", meinte der Inspektor lachend, „aber was sagen Sie zu der nächsten Folgerung, die sich daraus ergibt? Da niemand außer Ihnen ein Interesse daran haben konnte, die Flaschen zu vertauschen, sieht es doch ganz so aus, als müßte ich nun Ihnen die Handschellen anlegen."

„Das ist aber eine häßliche Folgerung, Inspektor", protestierte Mr. Egg, „und ich kann nur hoffen, daß Sie den Worten nicht die Tat folgen lassen. So etwas würde mir gar nicht gefallen, und meine Firma wäre sicher ebenfalls nicht begeistert. Fänden Sie es nicht auch nützlich, bevor wir etwas tun, was wir bereuen könnten, uns einmal den Heizungskeller anzusehen?"

„Warum den Heizungskeller?"

„Weil", sagte Mr. Egg, „Craven auf die Frage, wo jemand etwas versteckt haben könnte, was er gern loswerden wollte, ihn nicht erwähnt hat."

Diese Überlegung schien dem Inspektor einzuleuchten. Er rief ein paar Konstabler zur Hilfe, und wenig später wurde die Asche der Heizungsanlage gründlich durchgesiebt. Das erste, was sie fanden, war ein dicker Klumpen halbgeschmolzenen Glases, das durchaus einmal eine Portweinflasche gewesen sein konnte.

„Sieht fast so aus, als ob Sie recht hätten", sagte der Inspektor, „aber ich sehe noch nicht, wie wir da etwas beweisen könnten. Nikotin finden wir darin bestimmt nicht mehr."

„Das fürchte ich auch", pflichtete Mr. Egg ihm betrübt bei. „Aber –" seine Miene hellte sich auf – „wie wär's denn hiermit?"

Er klaubte aus dem Sieb, durch das ein Konstabler die Asche schüttelte, ein dünnes Stück verbogenes und verdrehtes Metall, an dem noch ein verkohltes Stück Knochen hing.

„Was in aller Welt ist das denn?"

„Sieht nicht nach viel aus, aber ich könnte mir denken, daß es einmal ein Korkenzieher war", antwortete Mr. Egg sanft. „Es hat so etwas Anheimelndes und Vertrautes an sich. Und wenn Sie es sich einmal ansehen, stellen auch Sie vielleicht fest, daß der metallene Teil hohl ist. Und es würde mich gar nicht überraschen, wenn der dicke knöcherne Griff ebenfalls innen hohl wäre. Er ist natürlich stark verkohlt, aber wenn Sie ihn aufspleißen und einen Hohlraum darin finden, vielleicht sogar noch ein bißchen geschmolzenes Gummi – nun, das würde doch einiges erklären."

Der Inspektor klatschte sich auf den Schenkel.

„Beim Himmel, Mr. Egg!" rief er. „Ich glaube, jetzt verstehe ich, worauf Sie hinauswollen. Sie meinen, wenn jemand diesen Korkenzieher ausgehöhlt und einen Gummibehälter hineingesteckt hätte, etwa wie in einem Füllfederhalter, und diesen mit Gift gefüllt, dann hätte man durch Druck auf irgendeinen Auslöser das Gift durch den hohlen Schaft in die Flasche fließen lassen können?"

„So ist es", sagte Mr. Egg. „Der Korkenzieher hätte natürlich sehr vorsichtig eingedreht werden müssen, um die Röhre nicht zu beschädigen, und diese hätte so lang sein müssen, daß sie über die Korkenunterseite hinausreichte, aber es hätte funktionieren können. Mehr als das – es *hat* funktioniert, denn wozu wäre sonst dieses Loch hier im Metall, etwa einen halben Zentimeter oberhalb der Spitze? Normalerweise sind in Korkenziehern keine Löcher – jedenfalls kenne ich dergleichen nicht, und ich bin doch eigentlich damit aufgewachsen."

„Aber wer hätte in diesem Fall –?"

„Natürlich derjenige, der den Korken herausgezogen hat, meinen Sie nicht? Der, dessen Fingerabdrücke auf der Flasche waren."

„Craven? Aber was hätte er denn für ein Motiv gehabt?"

„Das weiß ich nicht", antwortete Mr. Egg. „Aber Lord Borrodale war Richter, und dazu ein strenger Richter. Wenn Sie Cravens Fingerabdrücke einmal zu Scotland Yard schicken, wird man sie dort vielleicht wiedererkennen. Ich weiß es nicht. Aber es wäre doch möglich, oder? Vielleicht weiß aber auch Miss Waynfleet etwas über ihn. Oder es könnte sogar sein, daß er in Lord Borrodales Memoiren vorkommt, an denen dieser ja gerade schrieb."

Der Inspektor ging diesen Anregungen unverzüglich nach. Allerdings konnten weder Scotland Yard noch Miss Waynfleet irgend etwas gegen Craven vorbringen, der seine Stellung vor zwei Jahren angetreten und stets zur allseitigen Zufriedenheit ausgefüllt hatte, doch als sie sich an Hand der Unterlagen mit Lord Borrodales richterlicher Laufbahn befaßten, stellte sich heraus, daß er vor etlichen Jahren einmal einen jungen Mann namens Craven, einen gelernten Metallarbeiter, der angeklagt war, seinen Arbeitgeber betrogen zu haben, zu einer hohen Gefängnisstrafe verurteilt hatte. Weitere Nachforschungen ergaben, daß dieser junge Mann vor einem halben Jahr aus der Haft entlassen worden war.

„Natürlich Cravens Sohn“, sagte der Inspektor. „Er hatte die handwerklichen Fähigkeiten, um einen solchen Korkenzieher anzufertigen, täuschend ähnlich dem, der in diesem Haus für gewöhnlich in Gebrauch war. Woher hatten sie nur das Nikotin? Nun, das werden wir auch bald wissen. Es dürfte nicht schwierig sein, es sich für die Schädlingsbekämpfung im Garten zu beschaffen. Ich bin Ihnen für Ihre fachmännische Unterstützung sehr zu Dank verpflichtet, Mr. Egg. Es hätte uns viel Zeit gekostet, die Sache mit den vertauschten Flaschen herauszubekommen. Und Sie haben Craven gleich verdächtigt, als Sie merkten, daß er Ihnen die falsche Flasche gegeben hatte?“

„O nein“, sagte Mr. Egg mit verhaltenem Stolz. „Daß es Craven war, wußte ich in dem Moment, als er ins Zimmer trat.“

„Nein, wirklich? Sie sind ja ein richtiger Sherlock Holmes, was? Und wieso?“

„Er nannte mich ‚Sir‘“, erklärte Mr. Egg und hüstelte geziert. „Bei meinem letzten Besuch hat er mich noch mit ‚junger Mann‘ angeredet und mich darauf hingewiesen, daß Vertreter den Lieferanteneingang zu benutzen hätten. Ein schwerer taktischer Fehler. ‚Ob du recht hast oder nicht, Höflichkeit ist deine erste Pflicht‘, wie es im *Handbuch des Reisenden* heißt.“

Michail Sostschenko

Der Wunderhund

Dem Kaufmann Jeremias Babkin hat man seinen Waschbärpelz gestohlen. Und dieser unvorhergesehene Verlust, ihr werdet es begreifen, wurmt ihn.

„Der Pelz“, sagt er, „war gar zu schön, Genossen! Das nagt mir am Herzen! Kein Geld soll mir leid tun, den Dieb zu finden. Ins Gesicht werde ich ihm spucken, dem Gauner, dem Hundesohn!“

Und also ließ Jeremias Babkin den amtlichen Spürhund kommen. Es erschien ein Mann mit Schirmmütze und Wickelgamaschen, und mit ihm der Hund. So ein riesiger brauner Köter mit spitzer, unsympathischer Nase. Der Mann stieß sein Hündchen auf die Spuren an der Tür, sagte: „Pss! pss!“ und ging zur Seite. Der Hund schnupperte ein wenig in die Luft, schaute sich die Mieter an, die sich natürlich versammelt hatten, und schießt schon auf Mütterchen Fjokla los. Das Mütterchen weicht entsetzt zurück. Der Hund hinter ihr drein. Sieht da Mütterchen Fjokla, es gibt kein Entweichen vor diesem schrecklichen Hund, sie stürzt vor dem Agenten in die Knie.

„Hat mich erwischt“, sagt sie, „das Wundertier! Ich leugne nichts. Fünf Eimer Branntwein sind es und der Apparat! Alles in der Rumpelkammer versteckt!“

Die Mieter sperrten Mund und Ohren auf.

„Und der Pelz?“ fragte jemand.

„Vom Pelz“, sagt sie, „weiß ich nichts, hab’ ihn

mein Lebtag nicht gesehen! Aber alles andere ist wahr. Ich leugne nichts."

Also führte man Mütterchen Fjokla ab.

Wieder nahm der Agent seinen Hund, stieß ihn mit der Schnauze auf die Spur, sagte „Pss!" und ging zur Seite. Der Hund wirft nur einen kurzen Blick auf die Mieter, schnuppert in die leere Luft und springt plötzlich auf den Genossen Hausverwalter zu.

Der wird kreidebleich. „Bindet mich", ächzt er, „ehrenwerte Genossen! Ich habe von euch Geld für Wasser einkassiert", sagte er, „aber das Geld habe ich für mich selbst verbraucht!"

Vergessen waren Hund und Pelz; mit Wutgeheul fielen alle Mieter über den Hausverwalter her. Jeremias Babkin aber begann mit den Augen zu blinzeln. Ängstlich schaute er um sich, nahm dann schnell etwas Geld aus der Tasche und reichte es dem Agenten.

„Führ nur", sagte er, „deinen Hund schnell weg, wo der Pfeffer wächst! Laß lieber den Pelz futsch sein! Hol's der Teufel!"

Aber schon ist der Köter zur Stelle, steht vor Jeremias Babkin und dreht mit dem Schwanz, hämisch grinsend. Der Kaufmann begann zu schlottern.

„Ja!" krächzte er, „Gott sieht die Wahrheit! Ich selbst", sagt er, „bin der Hundesohn und Gauner! Der Pelz gehört meinem Bruder. Er hat ihn mir zur Aufbewahrung gegeben; und ich selbst habe ihn mir geklaut! Ich bin der Schuft!"

Hier stob das Volk wie der Wind auseinander. Der

Hund hatte nicht einmal Zeit, in die Luft zu schnuppern. Zwei, drei hatte er gerade noch erwischt und hielt sie fest. Auch diese beichteten. Der eine hatte Staatsgelder im Kartenspiel durchgebracht, der andere hatte seiner lieben Genossin eins mit dem eisernen Bügeleisen versetzt, der dritte hatte etwas so Peinliches gesagt – das man gar nicht wiedergeben darf ...

Das Volk hatte sich verlaufen. Leer lag der Hof da. Nur der Hund und der Agent blieben zurück. Und plötzlich tritt der Hund auf den Agenten zu und wedelt mit dem Schwanze. Und jetzt wurde auch dieser bleich und fiel vor dem Wunderhund in die Knie.

„Beißen Sie mich, Genossin!" schluchzte er. „Ich bekomme für euren Hundefraß drei Tscherwonzen im Monat und behalte zweie für mich!" Was weiter geschah, weiß ich nicht. Auch ich suchte schleunigst das Weite.

Wilkie Collins

Das verschwundene Schriftstück

„Eines Tages sitze ich auf meinem Bureau“, begann der alte Advokat, „da stürmt, dem Schreiber voraus, der ihn anmelden sollte, ein junger Mensch herein.“

„Kann ich Sie einen Augenblick unter vier Augen sprechen, Herr Doktor?“ beginnt er in der größten Aufregung, ohne zu bemerken, daß mein Schreiber sich schon wieder verzogen hat. „Es ist eine Sache von der größten Wichtigkeit, es handelt sich um meine ganze Existenz ...“

„Entschuldigen Sie, mein Herr, wenn ich Sie unterbreche“, bemerkte ich erstaunt. „Aber es wird sich doch empfehlen, von vorne anzufangen. Darf ich Sie aus diesem Grunde um Ihren werten Namen bitten?“

Der junge Mann war in sichtlicher Verlegenheit. Er tat mir leid; aber ich kann nun einmal die Leute nicht so aufgeregt sehen! Ich finde, daß man nichts dabei gewinnt, wenn man sich überhastet, und daß der Verstand sich nur in der Ruhe richtig betätigt.

Der junge Mann, ein hübscher Kerl mit ehrlichen Augen, entschuldigt sich freimütig und beginnt:

„Mein Name ist Frank. Ich bin Unternehmer im Kriegsministerium. Gestern abend wurde mir ein Schriftstück zur Anfertigung einer Kopie übergeben. Da ich damit nicht fertig wurde, schloß ich beide in meinem Schrank ein, das Original und die Kopie. Als ich nun heute morgen die Arbeit vollenden wollte und den Schrank aufschloß, lag die Kopie noch an ihrem Platz, das Original aber war verschwunden."

„Ein wichtiges Dokument?" sagte ich.

„O nein, es hat keine große Bedeutung. Aber die Geschichte ist mir trotzdem unangenehm."

„Natürlich", nickte ich, „das ist immerhin fatal!"

„Meine ganze Karriere", platzte er wieder in voller Aufregung los, „kann dadurch ruiniert sein."

„Sie haben keine Ahnung, wer das Schriftstück gestohlen hat? Denn von selbst wird es wohl nicht durch das Schlüsselloch gekrochen sein? Das ist –"

„Heute morgen nun erhielt ich mit der zweiten Post einen eingeschriebenen Brief, der ins Ministerium selbst adressiert war", fuhr er wieder ein wenig gefaßter fort. Er hatte, während er das sagte, seiner Brieftasche ein Papier entnommen, das er mir übergab. Es lautete:

Sie werden ohne Zweifel bemerken, daß ein Schriftstück Ihren Schrank verlassen hat. Wie es das fertiggebracht hat, wird Sie vielleicht interessieren. Aber da die Art und Weise, wie diese merkwürdige Luftveränderung zustande kam, nicht zur Sache gehört, brauchen wir nicht näher darauf einzugehen. Ich begreife indes, daß Sie eine ausgesprochene Sehnsucht nach dem bewußten Papier empfinden, und schätze mich daher glücklich, Ihnen wieder dazu verhelfen zu können. Sie sind ein Mann von vernünftigen Ansichten und stimmen ohne Zweifel mit mir darin überein, daß ein Dienst den anderen wert ist; ich den-

ke daher nicht unbescheiden zu sein, wenn ich fünfhundert Pfund als Gegendienst in Anschlag bringe. Da mir die Londoner Luft nicht gut bekommt, bin ich im Hotel Brighton in der Vorstadt Lee abgestiegen, wo ich zu sprechen bin.

Ihr aufrichtiger Freund Alfred Davager.

Nachschrift: Für den Fall, daß Sie nicht geneigt wären, mit mir zu verkehren, würde ich mich genötigt sehen, nächsten Dienstag nachmittag an Ihren Vorgesetzten eine kleine Mitteilung abzusenden.

„Donnerwetter“, sagte ich, „der Kerl hat Humor.“ – Nur das unglückliche Gesicht des jungen Mannes hatte mich davon abgehalten, laut aufzulachen. Dann aber fuhr ich fort: „Die Sache ist mir bekannt. Der Mann lebt von Erpressungen. Nur hat man den Gauner nie fassen können. Aber diesmal hat er sich verrechnet. Ich lasse ihn sofort verhaften.“

„Aber, Herr Doktor, nur das nicht, um Gottes willen!“ ruft Frank ganz entsetzt. „Deswegen komme ich gerade zu Ihnen!“

Ich war natürlich sehr überrascht und bemerkte: „Das ist doch der einfachste Weg, um wieder in den Besitz des Schriftstücks zu gelangen. Selbst ein Millionär nimmt etwas lieber umsonst als für fünfhundert Pfund. Und dann gehört dieser unverschämte Spitzbube unbedingt ins Loch!“

„Ich will es Ihnen zu erklären versuchen“, erwiderte Frank. „Wenn mein Vorgesetzter erfährt, daß das Schriftstück verschwunden ist, ist meine Karriere vernichtet. Mein Vorgesetzter ist mir nicht sehr gewogen, und er würde glauben, es sei kein Verlaß auf mich. Es gibt nämlich nur eine Möglichkeit, wie das Papier verschwinden konnte: Ein Kollege von mir hat denselben Schlüssel an seinem Schrank wie ich. Dieser nun ist mir spinnefeind und sucht mir zu schaden, wo er nur kann. Er ist der ausgesprochene Liebling unseres gemeinsamen Vorgesetzten, und im Falle einer Untersuchung, die eine Verhaftung des schurkischen Davager veranlassen würde, ließe der Chef nie den Schatten eines Verdachts auf meinen Kollegen fallen. Es hieße einfach, ich habe das Schriftstück nicht ordentlich verwahrt, und meine Zukunft wäre dadurch besiegelt. Gerade deshalb kam ich ja zu Ihnen, um, wenn es irgendwie möglich ist, eine Untersuchung zu verhindern."

„Das heißt also", sage ich, „mit anderen Worten: Sie sind bereit, die fünfhundert Pfund zu opfern und den Erpresser laufenzulassen?"

„Jawohl, das bin ich, falls sich nicht ein anderer Weg bietet. Nur bin ich mir völlig im unklaren darüber, wie ich das Geld aufbringen soll. Ich selbst bin ohne Mittel. O mein Gott, wie soll die Geschichte enden?" brach er wieder in voller Verzweiflung aus und ließ sich erschöpft in einen Stuhl fallen.

„Ist die Kopie eine sehr eilige Arbeit? Müssen Sie das Schriftstück bald wieder zurück haben?"

„Einige Tage kann ich sein Verschwinden leicht verheimlichen. Das ist nicht so schlimm."

Meine heitere Ruhe schien ihn endlich ein wenig angesteckt zu haben; er rückte schließlich mit der Frage heraus:

„Halten Sie es für möglich, daß sich ein Weg finden läßt, die unverschämte Summe nicht zu bezahlen?"

„Ich weiß nicht", erwiderte ich. „Glauben Sie übrigens, daß Davager sich im klaren darüber ist, wie peinlich und wie bedeutungsvoll für Sie der Verlust des Schriftstücks ist?"

„Sicherlich", meinte er bestimmt. „Sonst wäre er nicht so unverschämt! Er fühlt sich ja völlig sicher!"

Darin hatte Frank recht.

„Ich werde sehen", schloß ich, „was sich in der Angelegenheit tun läßt, und werde Sie benachrichtigen."

Der junge Mann drückte mir warm die Hand und verließ mich ein wenig getröstet. –

Das allererste für mich war natürlich, mir meinen Gegner anzusehen.

Daher schrieb ich Herrn Davager, ich sei beauftragt worden, das kleine Geschäft zwischen ihm und „dem andern" – ich führte keinen Namen an – zu beiderseitiger Zufriedenheit in Ordnung zu bringen. Zum Schluß bat ich ihn, sich, sobald es ihm angenehm sei, zu mir bemühen zu wollen. Er antwortete mir, es sei ihm erst zwischen sechs und sieben Uhr abends am folgenden Tage angenehm, sich zu mir zu bemühen. Auf diese Weise zwang er mich, wie Sie sehen, verschiedene wertvolle Stunden zu verlieren, und zwar zu einer Zeit, wo Minuten von der größten Wichtigkeit waren. Und so blieb mir nichts anderes übrig, als mich zu gedulden und inzwischen meinem Bürojungen namens Tom gewisse Winke zu geben.

Solch einen pfiffigen Kerl von vierzehn Jahren, wie diesen Tom, hat noch niemand gesehen und wird auch niemand mehr sehen, das sage ich Ihnen! Ein Spion zur Beaufsichtigung des Herrn Davager war selbstredend eine Persönlichkeit von der größten Wichtigkeit in diesem Falle. Tom war der kleinste, flinkste, kaltblütigste, durchtriebenste, schlaueste Spitzbube, der je einem Herrn auf Schritt und Tritt nachgegangen war, ohne daß die Augen desselben Herrn auch nur einen Blick auf ihn hätten werfen können. Ich machte also mit dem Burschen aus, daß er sich keinesfalls zeigen dürfe, wenn Herr Davager läutete; und wenn Herr Davager sich empfehle, sollte er genau auf mein Glockenzeichen achtgeben: Wenn ich zweimal läute, solle er den Herrn hinausbegleiten; wenn ich einmal läute, sollte er sich nicht sehen lassen, aber ihm dafür folgen, wohin er auch gehen möge. Dies waren die einzigen Vorbereitungen, mit denen ich beginnen konnte, da ich wohl oder übel abwarten mußte und meine Verhaltungsmaßregeln erst der Besprechung mit Herrn Davager entnehmen konnte. Es mochte ein Viertel vor sieben Uhr sein, da erschien mein sehnlich erwarteter Besuch.

In meinem Beruf als Advokat kommt man oft in merkwürdig nahe Berührung mit widerwärtigem, gemeinem und ekelhaftem Volk. Aber weitaus der widerwärtigste, gemeinste Schmutzfink, der mir je im Leben vorgekommen ist, war dieser Herr Alfred Davager. Er hatte schmierige, weiße Haare, ein verlebtes Gesicht, eine niedere Stirn, einen dicken Bauch, eine heisere Stimme und krumme Beine. Seine Augen waren mit blutigen Äderchen durchsetzt, und außerdem schielte er noch. Ein Geruch von Branntwein ging von ihm aus. Im Mund hatte er einen Zahnstocher stecken, den beim Eintritt herauszunehmen er sich nicht herabließ.

„Na, wie geht's?“ begann er. „Ich komme gerade vom Essen.“

Mit diesen Worten brennt er sich eine Zigarre an, setzt sich auf den nächsten Stuhl, schlägt die Beine übereinander und winkt mir mit der Hand zu.

Erst dachte ich, ihn durch eine kollegiale, vertrauliche Behandlung überrumpeln zu können; doch kam ich nicht weit damit. Ich fragte ihn, humoristisch lächelnd, wie zum Teufel er es denn fertiggebracht habe, das Schriftstück an sich zu bringen. Er antwortete mir nur in kaltem Tone, daß er seit seiner Jugend berühmt dafür sei, seine eigenen Interessen auf das vorteilhafteste im Auge zu haben. Dafür machte ich ihm einige Komplimente, die ihn aber offenbar kaltließen. Dann versuchte ich, seinen Gleichmut zu erschüttern; aber der Kerl ließ sich nicht aus seiner Ruhe bringen. Und so zwang er mich schließlich zu meinem letzten Hilfsmittel: Ich versuchte es, ihn einzuschüchtern.

„Bevor wir überhaupt unnütze Worte wegen des

Geldes verschwenden", begann ich, „will ich Ihnen die Sachlage rasch klarmachen, Herr Davager. Sie besitzen ja allerdings die Möglichkeit, Herrn Franks Karriere zu ruinieren. Aber setzen Sie zum Beispiel den Fall, ich habe in meiner Tasche einen Haftbefehl gegen Sie! Nehmen Sie an, im Nebenzimmer warte ein Beamter, um dem Befehl gemäß zu handeln! Nehmen Sie an, wir verhaften Sie, nehmen Ihnen das Schriftstück ab –"

„Einen Augenblick, wenn ich bitten darf", unterbricht mich Herr Davager. „Nehmen Sie an, ich sei nicht der grünste Junge, der je in seinen Kleidern steckte. Nehmen Sie an, ich sei nicht so blödsinnig, das Schriftstück bei mir herumzutragen! Nehmen Sie an, ich hätte ein gewisses Kuvert einem gewissen Freund an einem gewissen Ort in dieser Stadt übergeben! Nehmen Sie an, daß dieses Kuvert einmal jenes Schriftstück nebst einem Brief an das Kriegsministerium enthalte, und dann die Erzählung der ganzen Geschichte – nebst den nötigen Beweisstücken – für den ‚Expreß', der mit Freuden diese Gelegenheit ergreifen wird, seinem politischen Gegner, Herrn Frank, eins auszuwischen! Nehmen Sie an, mein Freund sei angewiesen, das Kuvert aufzubrechen und die zwei Briefe an das Kriegsministerium, beziehungsweise die Redaktion des ‚Expreß' eingeschrieben zu übermitteln, im Falle, daß ich heute abend nicht erscheine, um sie zurückzufordern! Kurzum, mein verehrter Herr, nehmen Sie an, Sie seien erst gestern geboren und ich sei schon bedeutend älter!"

Mit diesen Worten winkte mir Herr Davager wieder gemütlich lächelnd zu. Natürlich war ich nicht im geringsten überrascht von seiner Eröffnung; es war mir nicht eingefallen, anzunehmen, daß er das Schriftstück bei sich herumtrug. Aber ich stellte mich, als fühle ich mich durch seine Schlauheit völlig geschlagen, und tat, als unterwerfe ich mich bedingungslos. Und so brachten wir unser Geschäft über die Auslieferung des Papiers und Auszahlung des Geldes ins reine. Ich wollte jedoch erst noch ein Schriftstück aufsetzen, das er unterzeichnen sollte. Er wußte, daß dieses Schriftstück Schwindel und Unsinn war, ganz genau so, wie ich dies wußte. Daher sagte er mir auch sofort, ich schlage es nur aus dem Grunde vor, meinem Klienten eine möglichst gesalzene Rechnung vorsetzen zu können. So schlau er war, hierin täuschte er sich. Das Schriftstück hatte nicht den Zweck, Herrn Frank Geld abzuschröpfen, sondern ich wollte Zeit gewinnen, und zwar von Herrn Davager selbst. Auf diese Weise hatte ich eine Entschuldigung, die Aushändigung der fünfhundert Pfund bis Dienstag nachmittag drei Uhr hinauszuschieben. Den Dienstag morgen wollte Herr Davager, wie er sagte, dem Vergnügen widmen. Er fragte mich, ob Lee eine interessante Umgebung besitze, und als ich ihm darüber Auskunft gegeben, warf er seinen Zigarrenstummel in meinen Kamin, gähnte und schob ab.

Ich drückte einmal auf die Klingel, wartete, bis ich ihn hatte am Fenster vorübergehen sehen, und sah mich dann nach Tom um. Da stand dieses Juwel eines Jungen auf der anderen Seite der Straße und spielte vergnügt mit seinem Kreisel! Davager bummelte die Straße entlang, in der Richtung zum Marktplatz. Und Tom trieb seinen Kreisel langsam auf dem Trottoir die Straße entlang, ebenfalls dem Markte zu.

Eine Viertelstunde später kam er zurück und teilte mir seine Beobachtungen in einem hübsch logischen, zusammenhängenden Bericht mit. Davager hatte sich zu einem Wirtshaus begeben, das etwas außerhalb des Städtchens lag, an einem Fußweg, der zur Landstraße führte. In einer Laube vor dem Wirtshaus saß ein Mann und rauchte. Der fragte nur: „Klappt's?" und übergab Davager einen Brief, worauf dieser bemerkte: „Es klappt!" und sich wieder auf den Rückweg zum Hotel machte. In der Halle bestellte er heißes Wasser und Rum, Zigarren und Pantoffeln und gab dem Portier den Auftrag, in seinem Zimmer Feuer machen zu lassen. Dann ging er die Treppe hinauf, und Tom kam nach Hause zurück.

Nunmehr sah ich den Weg deutlich vor mir, den ich einschlagen mußte, nicht sehr weit zwar, aber doch sehr klar. Ich war ziemlich stark überzeugt davon, daß das Schriftstück für diese Nacht wenigstens im Hotel Windsor zu suchen sei. Ich läutete Tom. Als er erschien, gab ich ihm den Auftrag, sich in der Nähe des Hotels herumzutreiben und mit seinem Kreisel zu spielen. Wenn er müde sei, solle er sich bei dem Konditor auf der anderen Seite der Straße mit Süßigkeiten erfrischen, solange er wolle, unter der Bedingung, daß er die ganze Zeit über hinüberschaue und den Hoteleingang nicht aus den Augen lasse. Sobald Davager das Haus verlassen oder sein Freund aus dem Wirtshausgarten ihn besuchen würde, sollte Tom mich benachrichtigen. Auch ließ ich ihn einen kleinen Zettel der Wäscheverwalterin im Hotel überbringen, die eine alte Freundin von mir war. Ich bat sie, sich wegen einer geschäftlichen Angelegenheit in mein Büro zu bemühen, sobald ihre Arbeit für heute abend erledigt sei. Als ich diese Geschichten in Ordnung gebracht hatte, führte ich mir einige Male leibliche Erfrischungen zu Gemüte und setzte mich ein halbes Stündchen vor den Kamin; ich fühlte mich verhältnismäßig ganz zufrieden mit dem bisherigen Verlauf der Sache.

Als die Wäscheverwalterin erschien, stellte es sich heraus, daß Herr Davager ihre Aufmerksamkeit schon ganz besonders auf sich gezogen hatte, indem er ihr als Zeichen seiner besonderen Hochachtung einen Kuß zu geben geruht hatte. Das war entschieden glücklich für den weiteren Verlauf meiner Angelegenheit. Ich ließ sie ruhig ihrer Entrüstung über diesen Zwischenfall Ausdruck geben, wodurch sie sich in eine ziemlich starke Erregung hineinarbeitete. Dann ging ich so nebenbei auf meine eigene Sache über und erzählte ihr, daß derselbe Herr Davager, der sich eine derartige Unverschämtheit ihr gegenüber gestattet habe, den liebenswürdigsten und hübschesten jungen Mann auf der Welt auf die niederträchtigste und nichtswürdigste Weise betrogen habe. Ich selbst sei mit der Verteidigung der Interessen besagten jungen Mannes beauftragt worden und bitte sie nun um ihre Unterstützung, von der überhaupt alles abhinge. Das Mädchen erklärte sich sofort mit Freuden bereit, für mich alles zu tun, was irgendwie in ihrer Macht stehe und was sich mit ihrer Stellung als Wäscheverwalterin vereinigen lasse. Kurzum: Ich entdeckte, daß der Hausknecht den Auftrag hatte, Herrn Davager am nächsten Morgen um acht Uhr zu wecken und seine Kleider wie üblich zu reinigen. Wenn Davager nun seine Taschen zufällig nicht geleert hätte, sollte der Hausknecht die Kleider herunterbringen, wie er sie erhalten, ohne Davager darauf aufmerksam zu machen. Falls er sie jedoch geleert hätte, dann müßten wir unsere Untersuchung auf Davagers Zimmer ausdehnen. Auf jeden Fall konnte ich mich auf das Mädchen, und das Mädchen konnte sich wiederum auf jeden Fall auf den Hausknecht verlassen.

Ich wartete, bis Tom zurückkehrte. Er sah ziemlich blaß und überanstrengt aus; aber seine geistige Verfassung machte mir den Eindruck, als sei sie mehr als auf der Höhe; sein Bericht war ungewöhnlich kurz, genau und angenehm. Das Hotel sei geschlossen; Herr Davager sei in ziemlich betrunkenem Zustand zu Bett gegangen, und sein Freund habe sich überhaupt nicht blicken lassen. Ich wies Tom an, unseren Freund den ganzen nächsten Morgen nicht aus den Augen zu lassen, und sandte ihn dann in sein Zimmer. Es war augenscheinlich höchste Zeit dazu. Aber selbst die besterzogenen Jungen, die in aufgeregter Verfassung zu viel Törtchen gegessen haben, können nichts dafür, wenn sie ihr Magen zu überwältigen droht.

Um halb sieben Uhr am nächsten Morgen gelangte ich unbemerkt in das Kämmerchen, wo der Hausknecht die Stätte seiner Wirksamkeit aufgeschlagen hatte.

Eben brachte er die Kleider und Schuhe herunter, die seiner Bürsten harrten. Ich war zwar kein solcher Narr, anzunehmen, Davager habe das Schriftstück in der Tasche vergessen. Aber ich wollte zunächst sehen, ob ich hier etwas fände. Dann wollte ich wissen, was Davager für den Morgen unternehmen wollte. Ich hatte mich nämlich entschlossen, sein Zimmer einer näheren Untersuchung zu unterziehen. Freilich, wenn das zu nichts führte, war mir der fernere Weg noch nicht klar.

„Nun, ist Herr Davager schon wach?" fragte ich den Hausknecht.

„O bewahre!" grinste dieser. „Er schnarcht wie ein Nilpferd!"

„Gut!" nickte ich und machte mich an die Untersuchung der Kleider. Nichts in den Beinkleidern. Westentaschen alle leer. Endlich im Rock verschiedene Gegenstände: Halstuch, Schlüsselbund, Zigarrenetui, Notizbuch. Ich bildete mir natürlich nicht ein, darin das Schriftstück zu finden.

In den zwei Täschchen steckten ein paar Zeitungsausschnitte, eine Rechnung sowie die Abschrift einiger Witze. Im Notizbuch selbst standen einige Adressen, sodann Bemerkungen über Wetten, alles in roter Tinte. Auf einer Seite allein fand ich eine Bleistiftnotiz, die ich nicht verstand. Gerade aus diesem Grunde notierte ich sie mir. Sie lautete:

„5 lang, 4 quer."

Ich wartete noch, bis der Hausknecht, der die Kleider gereinigt hatte und wieder zurückbrachte, herunterkam.

„Jetzt ist er aufgewacht", rief er mir schon an der Tür zu.

„Hat er etwas gesagt?"

„Er hat gefragt, was es für Wetter sei. Als ich ihm antwortete, es sei schön, bestellte er sein Frühstück auf neun Uhr und auf zehn Uhr ein Reitpferd, um nach der Grimwith-Abtei zu reiten."

Ich hatte ihm den Abend zuvor davon erzählt.

„Um halb elf Uhr komme ich zurück", sage ich zur Wäscheverwalterin. „Durch die Hintertür."

„Zu welchem Zweck?" meint sie.

„Um dabeizusein, wenn heute Herrn Davagers Zimmer gemacht wird", sage ich.

„Sonst noch etwas?" fragt sie.

„Jawohl", sage ich. „Ich möchte für heute morgen den Sam haben. Schreiben Sie es ins Merkbuch; man soll ihn um zehn Uhr zu mir bringen."

Für den Fall, daß man glaubt, Sam sei ein Mensch gewesen, so täuscht man sich. Ich muß nämlich verraten, daß Sam ein Pony war. Ich hatte eingesehen, daß es für Toms Gesundheit – nach all den vielen

Törtchen – ratsam sei, wenn er zur völligen Wiederherstellung seines Wohlbefindens einen belebenden kleinen Ritt in der Richtung nach der Grimwith-Abtei unternähme.

„Befehlen Sie noch etwas?“ fragt die Wäscheverwalterin.

„Noch eine kleine Vergünstigung“, sage ich. „Würde Ihnen mein Junge Tom sehr im Wege stehen, wenn er jetzt bis um zehn Uhr käme, Ihnen ein wenig in Ihrer Arbeit zu helfen, und sich dabei nahe an das Fenster stellte, das von hier aus auf das Treppenhaus geht?“

„Nicht im geringsten“, sagt das Mädchen.

„Danke schön“, sage ich darauf und gehe geradenwegs in mein Büro zurück.

Als ich Tom zur Hilfe der Wäscheverwalterin abkommandiert hatte, überlegte ich mir in aller Ruhe, wie der Fall jetzt stehe.

Davager konnte dreierlei mit dem Schriftstück anfangen. Er konnte es wieder, vor zehn Uhr, seinem Freund übergeben, in welchem Fall Tom sicherlich besagten Freund auf der Treppe sehen würde. Er konnte es selbst diesem oder einem anderen Freund nach zehn Uhr überbringen – in welchem Fall ihm Tom auf dem Pony Sam folgen würde. Und schließlich konnte er es irgendwo in seinem Zimmer verstecken – in diesem Falle war ich mit einem Befehl zur Haussuchung aus meiner höchsteigenen Machtvollkommenheit bereit, unter der speziellen Protektion meiner Freundin, der Wäscheverwalterin. Daß er das Schriftstück nicht bei sich tragen würde, so viel Schlauheit traute ich ihm schon zu. Er wußte ganz genau, daß ich mit Leichtigkeit einige handfeste Kerle finden würde, die ihn auf seinem friedlichen Ritt anhalten und durchsuchen konnten. Das einzige, was mir fortwährend im Kopf herumging, war die rätselhafte Notiz in seinem Notizbuch. Alle anderen waren mit Tinte eingeschrieben, diese eine, auf der letzten Seite, mit Bleistift. Aber sie konnte ja alles mögliche bedeuten: zum Beispiel das Maß zu einem Kleidungsstück. Aber wie konnte das stimmen? „5 lang". Zentimeter? Nein. Meter? Nein. Höchstens, wenn er das Seil bereits um den Leib geschlungen trug, an dem er sicher eines Tages baumeln würde. Also wohl nichts an ihm selbst. Bezog es sich vielleicht auf das Schriftstück? Oder auf irgend etwas in seinem Zimmer? Ich konnte nicht klug daraus werden. Vielleicht hatte die Notiz gar nichts zu bedeuten. Und doch konnte ich sie nicht aus dem Kopf bringen. Es geht uns ja immer so mit Dingen, die wir nicht verstehen.

Tom kehrte zurück, strahlend vor Freude über den Ritt, der ihm bevorstand. Der Freund war nicht erschienen. Ich entließ ihn, gehörig instruiert, und hatte selbst mein Vergnügen daran, wie aufrecht er auf dem Pony davongaloppierte. Dann schrieb ich Herrn Frank ein Briefchen, er solle den Mut nicht verlieren, und schließlich schlüpfte ich durch die Hintertür des Hotels, einige Minuten vor halb elf Uhr. Die Wäscheverwalterin gab mir ein Zeichen, daß der Weg frei sei. Sie hatte dem Zimmermädchen mitgeteilt, sie wolle das Zimmer des Herrn Davager selbst machen. Ich schlich mich in das Zimmer, ohne daß es jemand außer ihr bemerkte, und schloß sofort die Tür ab.

Bis zu einem gewissen Grad war die Sache jetzt einfacher geworden. Davager hatte offenbar das Schriftstück nicht irgend jemand überbracht, da er, wie ich erfuhr, geradenwegs in der Richtung nach der Abtei weggeritten und Tom nicht zurückgekommen war. Also hatte er entweder den Brief bei sich oder in seinem Zimmer. Ersteres war mir von vornherein sehr unwahrscheinlich. Ich wenigstens hätte es an seiner Stelle niemals getan. Und eine andere Tatsache bestärkte mich in der Annahme, daß er das Schreiben in seinem Zimmer hatte: Seinen Schrank, seine Kommode, seinen Koffer – alles das hatte er offen stehenlassen. Da ich aber mit meinem Kunden bekannt war, fiel mir gerade diese Nachlässigkeit auf und kam mir verdächtig vor.

Davager hatte eines der besten Zimmer im Hotel genommen: Parkettboden, ein prächtiger Fußteppich, moderne Tapeten, Kronleuchter und Möbel erster Güte. Erst suchte ich überall auf die übliche Weise, wo irgend etwas hätte versteckt werden können. Ich fand – nichts. Dann griff ich zu meinem Meterstab, den ich vorsorglicherweise mitgebracht hatte. War da im Zimmer irgend etwas „5 lang" und „4 quer"? Was konnte übrigens das „quer" bedeuten? Er meinte wohl „4 breit"? Mit Zentimetern klappte nichts. Mit Dezimetern vielleicht? Ich suchte lange und fand nichts. Mit Metern dasselbe. Also hatte die Notiz keine Bedeutung. Ich steckte den Meterstab wieder ein.

Es ist eigentümlich, wie ich mich in die Idee verbohrt hatte, das Schriftstück müsse in dem Zimmer sein. Jedenfalls aus purem Widerspruchsgeist, weil ich nicht das geringste entdeckte. Und ebenso eigensinnig beharrte die Notiz in meinem Kopf: „5 lang, 4 quer“. Wo konnte man im Zimmer überhaupt 5 und 4 zählen? Die Tapete war neu, einfarbig. Der Teppich geblümt, ein wirres Durcheinander, wo es überhaupt kein „lang und quer“ gab. Stühle waren gar nicht so viele im Zimmer. Ich war nahe daran, 5 und 4 an meinen eigenen Rockknöpfen abzuzählen, so schwirrte mir die Notiz im Ohr. Ich begann bereits, sie in einem gewissen Rhythmus fortwährend vor mich hin zu murmeln. Endlich bemerkte ich die Fransen, die das Sofa zierten. Da waren allerdings mehr als 5 der Länge nach, mehr als 4 „quer“ dazu – der Gauner meinte wohl „im rechten Winkel dazu“ – angebracht. Ich zog an ihnen, rechnete, von allen Ecken beginnend, kratzte mit den Nägeln an dem Möbel, riß beinahe die unglückseligen Fransen aus: Es nützte nichts! Keine Spur von dem Schreiben, und die Zeit ging vorwärts – heiliger Gott! Wie die Zeit an jenem Morgen im Zimmer des ehrenwerten Herrn Davager verfloß!

Ich setzte mich aufs Bett, um ein wenig nachzudenken, und starrte auf den Teppich. Das erste in meiner Untersuchung war gewesen, unter dem Teppich nachzusehen, der fast den ganzen Boden bedeckte. An der Tür war der Parkettboden sichtbar.

Plötzlich schoß mir ein Gedanke durch den Kopf. Im ganzen Zimmer hatte ich gesucht, aber dem Boden hatte ich noch nicht die geringste Aufmerksamkeit geschenkt. Rasch rollte ich, bei der Tür beginnend, den Teppich auf. Hier konnte ich ja wieder abzählen, bis mir der Kopf schwirrte! Diesesmal wollte ich systematischer vorgehen.

Links stand also das Bett. Hier konnte er die fünf ersten Holztafeln gar nicht abzählen. Also wandte ich mich auf die rechte Seite, von der Tür aus gesehen. Was bedeutete nun „lang"? Wohl parallel mit der längeren Wand des Zimmers; die Tür befand sich in der Schmalwand. Ich begann, an der Längswand rechts fünf Täfelchen abzuzählen. Was bedeutete nun „quer", „4 quer"? Die Tafeln gingen unter einem stumpfen Winkel ins Zimmer hinein, immer von der Tür aus betrachtet. Senkrecht zu jedem der langen Holzvierecke stand ein anderes, das wieder der Tür zulief, darauf senkrecht in der entgegengesetzten Richtung ein weiteres und so fort, so daß von der Wand aus parallel der Schmalwand eine schmale, von den länglichen Holzvierecken zusammengesetzte, zusammenhängende Fläche ins Zimmer lief. Ich hatte in meinem Leben noch nie einen Parkettboden so genau betrachtet. Wie das im Zickzack, kreuz und quer – Halt! rief ich freudig erstaunt aus, als ich an das Kreuz- und Querlaufen der Täfelchen dachte. Heureka! Ich hab's! Daher „4 quer"!

In der größten Aufregung zählte ich nochmals meine fünf Längstafeln ab. Die fünfte traf an ihrem Ende eine zweite, diese ebenso eine dritte –

Da klopfte es an der Tür.

Rasch fuhr ich auf und fragte leise durchs Schlüsselloch, wer da sei. Es war die Wäscheverwalterin.

„Sind Sie noch nicht fertig?" flüsterte sie.

„Nur noch zwei Minuten", sagte ich, „lassen Sie ja niemand in die Nähe, und wenn Davager selbst kommt, so halten Sie ihn um Gottes willen auf."

– zwei, drei, vier! Da war die vierte Tafel. Die Parkettäfelchen schlossen nicht ganz dicht aneinander. In fieberhafter Aufregung versuchte ich die Klinge meines Messers in den Spalt zwischen meiner Tafel und ihren Nachbarinnen hineinzusenken und sie auf diese Weise herauszuheben. Die Klinge ging gut hinein, aber das Täfelchen wankte nicht. Zufällig stützte ich mich mit der linken Hand auf das eine Ende der Holztafel, da schwippte sie, samt meinem Taschenmesser, heraus. Darunter befand sich ein schmaler Hohlraum. Und richtig! Da links war der Rand eines Papiers sichtbar. Ich zog vorsichtig daran – und hatte das gestohlene Schriftstück in der Hand.

Es war das Original selbst, keine Kopie. Das sah ich an der Tinte. Das Schreiben war fünfhundert Pfund wert! Das war mein erster Gedanke, als ich wie ein Verrückter im Zimmer herumzutanzen begann. Dann mußte ich mich einen Augenblick niedersetzen; so stark klopfte mir das Herz. Erschöpft wischte ich mir den Schweiß von der Stirn. Dann aber hatte ich meine Ruhe wieder.

Ihr denkt wohl, ich sei jetzt wie ein Narr hinausgestürzt, ohne daran zu denken, das leicht bewegliche Holztäfelchen wieder an seine Stelle einzusetzen und den Teppich darüberzuziehen? Da kennt ihr mich schlecht!

Ich blieb ganz gemütlich in meinem Stuhl sitzen, nachdem ich das kostbare Schriftstück in der Brusttasche versorgt hatte, und überlegte mir in aller Ruhe, wie ich am besten dem Ehrenmann mitteilen könnte, daß trotz seiner überlegenen Verachtung, mit der er den naiven Vorstadtadvokaten behandelte, dieser ihn zum Schluß doch überlistet hatte.

Da kam mir ein niedlicher Gedanke. Ich riß aus meinem Notizbuch ein weißes Blatt, schrieb darauf die Worte: „Wechsel auf fünfhundert Pfund“, faltete das Papier hübsch zusammen, steckte es in den Hohlraum, so daß eine Ecke aus diesem herausblickte, fügte die Holztafel wieder ein, zog den Teppich wieder darüber, wie zuvor, schloß die Tür auf, drückte meiner Freundin die Hand und fuhr mit dem nächsten Zug zur Stadt.

Der gute Herr Frank war durch die Geschichte ganz abgemagert und heruntergekommen; er konnte sich beinahe nicht fassen vor Freude, als er das Papier wieder in Händen hatte, und rundete mir meine Rechnung stark nach oben auf. Er sagt mir noch heute, daß er mir allein seine Karriere verdanke, er hat nämlich längst eine viel höhere Position als jener mißgünstige

Kollege, der damals sehr wahrscheinlich das Schriftstück entwendet hat.

Was meinen Freund Davager anbelangt, so ist nicht viel mehr über ihn zu bemerken. Mein unschätzbarer Junge Tom wurde zweimal von seinem Pony aus dem Sattel geschleudert, aber er ließ die Zügel nicht aus den Händen und seinen Mann nicht aus den Augen. Er erzählte mir, daß Herr Davager unterwegs in einen Feldweg abgeschwenkt und zu jenem Wirtshaus geritten sei, wo er seinem Freund einen Zettel ausgehändigt habe, ohne ein Wort dazu zu bemerken. Zweifellos enthielt dieser die Bezeichnung der Stelle, wo das Schriftstück versteckt war, für den Fall, daß ihm selbst etwas zustoßen sollte. Sonst aber war Davager über Land geritten wie ein gewöhnlicher Tourist, der sich für die schöne Gegend interessiert. Etwa um zwei Uhr war er wieder ins Hotel zurückgekehrt. Um halb drei Uhr schloß ich mein Büro ab, heftete eine Karte an die Tür mit der Aufschrift: „Verreist bis morgen“, und besuchte für den Rest des Tages einen Freund, der einen Kilometer außerhalb des Städtchens wohnt.

Davager verließ, wie mir die Wäscheverwalterin einmal mitteilte, in derselben Nacht das Hotel, die besten Kleider unter dem Arm und alle seine Toilettensachen, die irgendwelchen Wert besaßen, in der Tasche.

Ich selbst habe ihn seit damals nicht mehr getroffen.

Gilbert Keith Chesterton

Der Salat des Oberst Cray

Pater Brown schritt an einem geisterhaft weißen Morgen von der Messe heimwärts. Der Nebel stieg langsam empor. Die Umrisse einzelner Bäume traten immer deutlicher aus diesen wallenden Dämpfen hervor. In noch weiterer Entfernung tauchten nun zeitweise Häuser aus der zerrissenen Kette der äußersten Vorstadtgrenze auf. Auch ihre Umrisse wurden immer klarer, bis Pater Brown die einzelnen Häuser unterschied, deren Besitzer er zum Teil flüchtig kannte oder doch zumindest größtenteils dem Namen nach. Doch alle Türen und Fenster waren geschlossen; jene Leute dort pflegten um diese Stunde noch nicht aufzusein, geschweige denn um eines solchen Zweckes willen unterwegs wie er. Doch als er an einer hübschen Villa mit Veranda und großem, schön angelegtem Garten vorbeiging, vernahm er ein Geräusch, das ihn beinahe unwillkürlich haltmachen ließ. Es war das unverkennbare Geräusch einer abgeschossenen Pistole oder einer kleinen Büchse oder sonstigen leichten Feuerwaffe; aber es war nicht dies, was den Priester am meisten stutzig machte. Auf das erste starke Geräusch folgten augenblicklich eine Reihe schwächerer Geräusche – er zählte ungefähr sechs. Erst vermutete er, es sei das Echo; doch das Merkwürdige war, daß das Echo dem ursprünglichen Geräusch nicht im mindesten glich. Es glich auch nichts anderem, was er sich vorstellen konnte; die drei Dinge, die der Sache noch am nächsten kamen, waren das Geräusch beim Öffnen einer Mineralwasserflasche oder eines der vielen Geräusche, die ein Tier macht, oder das Geräusch, das entsteht, wenn ein Mensch das Lachen zurückzuhalten versucht. Keines von diesen schien einen Sinn zu ergeben.

Pater Brown bestand aus zwei Menschen. Da gab es einen Mann des praktischen Lebens, der, bescheiden wie eine Primel und pünktlich wie eine Uhr, die kleine Runde seiner Pflichten machte und niemals davon träumte, etwas daran zu ändern. Dann gab es da noch einen Mann der theoretischen Überlegung, der noch viel schlichter, aber auch viel stärker war und sich nicht leicht aufhalten ließ; ein Mann, dessen Gedanken immer in dem einzig vernünftigen Sinn des Wortes freie Gedanken waren. Er konnte nicht umhin, sich, wenn auch nur unbewußt, alle irgendwie möglichen Fragen zu stellen und so viele davon zu beantworten, wie er eben konnte; all dies ging mit der Selbstverständlichkeit des Atmens oder der Blutzirkulation vor sich. Aber vorbedachterweise ließ er sich durch seine Handlungen niemals über den Bereich seiner Pflichten hinausführen; in diesem Falle jedoch wurden seine beiden Fähigkeiten hart auf die Probe gestellt. Er entschloß sich, wieder durch die Dämmerung weiterzuwandern, mit der Begründung, daß ihn die Sache nichts anginge, aber er konnte doch nicht umhin, instinktiv zwanzig verschiedene Theorien im Geiste zu erwägen, was für ein merkwürdiges Geräusch das gewesen sein mochte. Dann plötzlich glänzte die graue Horizontlinie silberfarben auf, und Pater Brown erkannte, daß jenes Haus einem anglo-indischen Major namens Putnam gehöre, dessen aus Malta stammender Koch Pater Browns Kirchengemeinde angehörte. Er erinnerte sich jetzt auch langsam, daß Pistolenschüsse oft eine gefährliche Sache sind und Folgen nach sich ziehen, die legitimerweise in seinen Pflichtenbereich fielen. Er drehte um und schritt durch das Gartentor auf die Tür des Hauses zu.

An der Seitenmauer des Hauses, ungefähr in der Mitte derselben, ragte ein Vorsprung heraus, der wie ein sehr niedriger Schuppen aussah; es war, wie Pater Brown später herausfand, ein großer Müllbehälter. Dort um die Ecke kam eine Gestalt, die erst wie ein bloßer Schatten im Nebel sich anscheinend vorbeugte und suchend umherschaute. Im Näherkommen verdichtete sich die Gestalt zu einem Körper, der allerdings ungewöhnlich kompakt zu nennen war. Major Putnam war ein kahlköpfiger Mann mit einem Stiernacken, klein und sehr breit. Doch er hatte ein gutmütiges Gesicht und zeigte sogar jetzt, da es einen offenkundig bestürzten und fragenden Ausdruck trug, ein gewisses unschuldiges Grinsen. Der Mann hatte einen großen Hut aus Palmblättern auf den Hinterkopf zurückgeschoben, doch sonst trug er nur einen sehr grellfarbigen, rot und gelb gestreiften Pyjama, der zwar sehr prächtig anzusehen war, an einem so frischen Morgen jedoch ziemlich kühl sein mochte.

Er war offenbar in großer Eile aus dem Hause gestürzt, und der Priester war gar nicht erstaunt, ohne weitere Umstände von ihm angerufen zu werden: „Haben Sie das Geräusch gehört?"

„Ja", antwortete Pater Brown. „Ich bin darum hereingekommen, ist vielleicht etwas nicht in Ordnung?"

Der Major sah ihn ein wenig merkwürdig mit seinen gutmütigen Stachelbeeraugen an. „Was für ein Geräusch, glauben Sie, war das?" fragte er.

„Es klang wie ein Gewehr oder etwas dergleichen", antwortete der andere etwas zögernd; „aber es schien von einem so eigentümlichen Widerhall gefolgt."

Der Major sah ihn immer noch ruhig, doch ein wenig neugierig an, als die Haustür aufgerissen wurde und eine Flut von Gaslicht sich in den schwindenden Morgennebel ergoß. Eine zweite Gestalt im Pyjama sprang oder stolperte in den Garten hinaus. Es war eine längere, schlankere und mehr athletische Gestalt; der Pyjama, obwohl gleichfalls in grellen Farben, war verhältnismäßig geschmackvoll, nämlich weiß mit hellen, zitronengelben Streifen. Der Mann sah verstört aus; doch war er hübsch zu nennen, und sein Gesicht war sonnenverbrannter als das des anderen. Er hatte ein Adlerprofil und tiefliegende Augen; seltsam wirkte das schwarze Haar zusammen mit dem viel helleren Schnurrbart. Pater Brown beobachtete all diese Dinge später in größerer Muße. Für den Augenblick fiel ihm an dem Mann nur ein einziges Ding auf: Er trug nämlich einen Revolver in der Hand.

„Cray!“ rief der Major aus und starrte ihn an. „Hast du den Schuß abgefeuert?“

„Ja“, antwortete der schwarzhaarige Mann aufgeregt, „und du hättest an meiner Stelle dasselbe getan. Wenn du überall von Teufeln verfolgt und gejagt wärest und beinahe ...“

Der Major unterbrach ihn schnell. „Das hier ist mein Freund, Pater Brown“, sagte er. Und dann zu Brown gewendet: „Ich weiß nicht, ob Sie Oberst Cray von der Königlichen Artillerie kennen?“

„Ich habe natürlich schon von ihm gehört“, sagte Pater Brown schlicht. „Haben Sie – haben Sie etwas getroffen?“

„Ich hätte es eigentlich angenommen“, sagte Cray ernsthaft.

„Ist er ...“, fragte Major Putnam leise, „ist er niedergefallen oder hat er aufgeschrien oder etwas dergleichen?“

Oberst Cray sah seinen Gastgeber mit seltsamen, festen Blicken an. „Ich werde dir genau sagen, was er getan hat“, erwiderte er. „Er hat geniest.“

Pater Brown hob die Hand, als wollte er sich an den Kopf greifen. Jetzt wußte er, was jenes Geräusch war, das weder mit Mineralwasser noch mit dem Schnaufen eines Hundes ganz übereinstimmte.

„Nun“, äußerte der Major, „ich dachte nie, daß ein Dienstrevolver einen Menschen zum Niesen bringt.“

„Ich auch nicht“, sagte Pater Brown leichthin. „Es

ist ein Glück, daß Sie nicht Ihre Kanonen gegen ihn gerichtet haben; er hätte sich sonst leicht tüchtig verkühlen können." Dann sagte er nach einem verlegenen Schweigen: „War es ein Einbrecher?"

„Gehen wir hinein", sagte Major Putnam etwas scharf und führte die Gesellschaft ins Haus.

Drinnen wurden sie von der widerspruchsvollen Tatsache überrascht, die zu solcher Morgenstunde schon viele Leute in Erstaunen gesetzt hat, daß das Zimmer nämlich, selbst nachdem der Major in der Halle das Gaslicht abgedreht hatte, heller zu sein schien als der Himmel draußen. Pater Brown bemerkte voll Verwunderung, daß der Speisetisch wie zu einem Festmahl gedeckt war; die Servietten steckten in Ringen, und neben jedem Teller standen Weingläser von etwa sechs ungebräuchlichen Formen. Es wäre ziemlich selbstverständlich gewesen, zu einer solchen Stunde die Überreste eines Banketts der vergangenen Nacht vorzufinden; doch so zeitig in der Frühe alles für ein Festmahl vorbereitet zu finden, war ungewöhnlich.

Während Brown unschlüssig in der Halle stand, eilte Major Putnam an ihm vorbei und ließ seinen prüfenden Blick über den ganzen länglichen Tisch gleiten. Endlich stieß er hastig hervor: „Das ganze Silber ist fort! Die Fischbestecke und alle Gabeln fehlen. Das alte Essig-und-Öl-Gestell fehlt. Sogar das alte silberne Sahnekännchen fehlt. Und jetzt, Pater Brown, kann ich auch Ihre Frage beantworten, ob es ein Einbrecher war."

„Das ist nur ein Blendwerk“, sagte Cray eigensinnig. „Ich weiß besser als ihr, warum dieses Haus verfolgt wird; ich weiß besser, warum ...“

Der Major klopfte ihm mit einer Gebärde auf die Schulter, welche an den Versuch erinnerte, ein krankes Kind zu beruhigen. Er sagte: „Es war ein Einbrecher. Es war offenbar ein Einbrecher.“

„Ein Einbrecher, der einen Schnupfen hatte“, bemerkte Pater Brown, „das kann Ihnen helfen, seine Spur in der Umgebung zu verfolgen.“ Der Major schüttelte mit trübseliger Miene den Kopf. „Der muß schon viel zu weit sein, fürchte ich, als daß man seine Spur noch verfolgen könnte“, sagte er.

Dann, als der ruhelose Mann mit dem Revolver sich wieder dem Garten zuwendete, fügte der Major mit leiser Stimme vertraulich hinzu: „Ich weiß nicht, ob ich nach der Polizei schicken soll, denn ich fürchte, mein Freund ist ein wenig zu leichtsinnig mit seiner Kugel umgegangen und hat sich nicht innerhalb der Schranken des Gesetzes gehalten. Er hat bisher in sehr wilden Gegenden gelebt und, um aufrichtig zu sein, ich glaube, er bildet sich gewisse Dinge oft nur ein.“

„Sie haben mir einmal, wenn ich mich recht erinnere, erzählt, er bilde sich ein, von einer geheimen indischen Sekte verfolgt zu werden.“

Major Putnam nickte, doch zuckte er gleichzeitig die Achseln. „Ich meine, wir täten jetzt besser, ihm zu folgen“, sagte er, „ich möchte nicht, daß noch mehr – sagen wir, geniest wird.“

Sie traten nun in das helle Morgenlicht hinaus, das jetzt schon eine Spur Sonnenschein in sich trug, und sahen die hohe Gestalt des Obersten Cray so tief gebeugt, daß sie beinahe in der Mitte zusammengefaltet schien; er war damit beschäftigt, den Kiesweg und den Rasen um das Haus genau zu untersuchen. Während der Major unauffällig auf ihn zuschlenderte, wendete sich der Priester, gleichfalls wie von ungefähr, nach einer anderen Richtung, die ihn um die Ecke des Hauses führte, etwa eine Elle von jenem hervorstehenden Müllbehälter entfernt.

Er stand und starrte dieses trübselige Ding einige Sekunden lang an, dann schritt er näher hinzu, öffnete den Deckel und steckte den Kopf hinein, Staub und andere farblose Dinge wurden dabei emporgewirbelt, aber auf seine äußere Erscheinung achtete Pater Brown niemals, was immer sonst er auch beachtete. So blieb er eine geraume Zeit, wie in irgendwelche Gebete versunken. Dann tauchte er wieder hervor, ein wenig Asche im Haar, und schritt unbekümmert hinweg.

Als er wieder zu der Gartentür kam, fand er dort eine kleine Menschenansammlung, die alles Krankhafte fortzufegen schien, wie das Sonnenlicht den Nebel verscheucht hatte. Der Anblick wirkte in keiner Weise durch irgendwelche Vernunftgründe beruhigend, er war nur einfach komisch. Major Putnam hatte inzwischen Zeit gefunden, ins Haus zu schlüpfen und ein vernünftiges Hemd, eine Hose und eine kurze, leichte Jacke anzuziehen. In dieser normalen

Kleidung schien sein rotes, wohlgenährtes Gesicht vor Alltags-Herzlichkeit schier platzen zu wollen. Er redete mit großer Nachdrücklichkeit, aber das geschah darum, weil er mit seinem Koch sprach – jenem dunkelfarbenen Sohne Maltas, dessen gelbes, schmales und beinahe sorgenvolles Gesicht seltsam von seiner schneeweißen Mütze abstach. Der Koch hatte auch allen Grund, bekümmert und sorgenvoll auszusehen, denn die Kochkunst war des Majors Steckenpferd. Er war einer jener Amateure, die immer mehr verstehen als Professionals. Dem einzigen Menschen, dem er ein Urteil über eine Omelette zubilligte, war sein Freund Cray – und bei diesem Gedanken sah sich Brown nach jenem anderen Offizier um. In dem neuen Morgenlicht und in Gegenwart ordentlich gekleideter Leute, die mit vernünftigen Dingen beschäftigt waren, wirkte der Anblick wie ein Schock. Die hohe, elegante Gestalt Crays war immer noch im Nachtgewand, und so kroch er mit zerzaustem Haar auf Händen und Knien im Garten herum und suchte die Spur des Diebes; von Zeit zu Zeit schlug er vor Ärger, sie nicht gefunden zu haben, mit der Faust gegen den Boden. Als der Priester den Mann gleich einem Vierfüßler im Gras erblickte, zog er bekümmert die Brauen in die Höhe, und es fiel ihm zum erstenmal ein, daß jenes Wort des Majors, „Cray bilde sich gewisse Dinge ein", vielleicht nur ein beschönigender Ausdruck gewesen sein mochte.

Die dritte Person in der Gruppe des Kochs und des Majors war gleichfalls eine dem Priester bekannte

Erscheinung. Es war Audrey Watson, des Majors Mündel und Wirtschafterin; in diesem Augenblick nach ihrer Schürze, den aufgerollten Ärmeln und ihrem entschlossenen Benehmen zu urteilen, viel mehr seine Wirtschafterin als sein Mündel.

„Das geschieht dir recht“, sagte sie, „ich habe dir immer gesagt, daß du das altmodische Essig-und-Öl-Gestell nicht verwenden sollst.“

„Ich hab’ es aber lieber als das andere“, sagte Putnam versöhnlich. „Ich bin selbst altmodisch, und die Dinge sollen zusammenpassen.“

„Und zusammen verschwinden, wie du siehst“, erwiderte sie. „Nun, wenn du dir aus dem Einbruch nichts machst, so würde ich mir wegen des Lunchs keine Sorgen machen. Aber es ist Sonntag, und man kann nicht um Essig und all das Zeug in die Stadt schicken; und ihr Herren aus Indien könnt ein Essen ohne diese Zutaten nie recht genießen. Ich wollte jetzt, du hättest meinen Vetter Oliver nicht gebeten, mich zu dem musikalischen Gottesdienst zu begleiten. Der ist sicher nicht vor halb ein Uhr zu Ende, und der Oberst muß vor dieser Zeit von hier fort. Ich glaube wirklich nicht, daß ihr Männer allein fertig werden könnt.“

„O ja, ganz gewiß, meine Liebe“, sagte der Major und sah sie liebevoll an. „Marco hat alle möglichen sauren Soßen, und wir haben es uns schon oft in sehr wilden Gegenden einzurichten verstanden, wie du eigentlich wissen solltest. Auch ist es Zeit, daß du endlich einmal eine Unterhaltung hast, Audrey, du darfst doch nicht den ganzen Tag nur Wirtschafterin sein, und ich weiß, daß du gerne Musik hörst."

„Ich möchte gerne in die Kirche gehen", sagte sie und warf ihm einen strengen Blick zu.

Sie war eine jener schönen Frauen, die immer schön sind, weil ihre Schönheit nicht von einer gewissen Beleuchtung oder einer besonderen Haltung und Gebärde abhängt, sondern in der Form ihres Kopfes und der Linie ihrer Gesichtszüge liegt. Doch obwohl sie noch jung zu sein schien, lag um ihren Mund und um ihre Augen ein Zug, der den Eindruck erweckte, als wäre sie von einem geheimen Kummer frühzeitig verbraucht. Denn die kleine häusliche Schwierigkeit, der sie jetzt so große Bedeutung zuzumessen schien, war eher komisch als tragisch. Pater Brown entnahm aus der Unterhaltung, daß Cray, der andere „gourmet", vor der gewöhnlichen Speisestunde abreisen mußte und daß Putnam, sein Gastgeber, sich nicht um ein Abschiedsfest für den alten Busenfreund bringen lassen wollte und darum ein eigenes Essen bestellt hatte, das im Lauf des Vormittags, während Audrey und andere ernsthafte Leute dem Gottesdienst beiwohnten, serviert und eingenommen werden sollte. Audrey sollte zur Kirche gehen in Begleitung eines Verwandten und alten Freundes, Doktor Oliver Oman, der zwar ein etwas vertrockneter Wissenschaftler, aber ein begeisterter Musikliebhaber war. An alldem war nichts zu finden, was auf den Grund der Traurigkeit in Fräulein Watsons Gesicht hätte schließen lassen können, und Pater Brown wendete sich instinktiv und halb unbewußt wieder dem anscheinend verrückten Mann zu, der im Gras herumkroch.

Als er sich Cray näherte, wendete dieser plötzlich den zerzausten Kopf zu ihm empor, als wundere er sich über die Anwesenheit des anderen.

„Nun!“ rief Cray und sah ihn zornig an. „Ich vermute, Sie halten mich auch für verrückt, so wie alle anderen hier es tun?“

„Ich habe diese Annahme freilich erwogen“, antwortete der kleine Priester ruhig und gefaßt. „Aber ich bin geneigt, Sie nicht dafür zu halten.“

„Was wollen Sie damit sagen?“ schnauzte Cray ihn wütend an.

„Verrückte Leute“, erklärte Pater Brown, „versuchen ihre Krankheit immer zu stützen und zu nähren, sie sträuben sich niemals dagegen. Sie aber wollen Spuren des Einbrechers finden, selbst wenn keine vorhanden sind. Sie kämpfen dagegen an. Sie suchen, was kein Wahnsinniger sucht.“

„Und was ist das?“

„Sie suchen, eines Irrtums überführt zu werden“, sagte Brown. Während der letzten Worte war Cray auf die Beine gesprungen oder hatte sich, besser gesagt, taumelnd aufgerichtet und starrte den Priester aufgeregt an. „Zum Teufel, das ist wahr!“ rief er. „Sie wollen mich hier alle davon überzeugen, daß der Kerl nur nach dem Silber aus war – als ob ich es nicht gar zu gern selbst glauben möchte! Sie wollte mich auch davon überzeugen“, und er deutete mit seinem zerrauften schwarzen Kopf nach Audrey hin, „sie hat mir Vorwürfe gemacht, wie grausam es von mir sei, einen harmlosen Einbrecher niederzuschießen, und daß ich den leibhaftigen Teufel im Leibe hätte in meiner Verfolgungssucht gegen harmlose Eingeborene. Aber ich war früher ganz gutmütig – ebenso gutmütig wie Putnam."

Nach einer Pause fügte er noch hinzu: „Schauen Sie, ich habe Sie nie zuvor gesehen, aber Sie sollen selbst über diese ganze Geschichte urteilen. Der alte Putnam und ich waren Regimentskameraden, doch dank irgendeines Vorfalls an der Grenze von Afghanistan bekam ich viel früher als alle anderen ein eigenes Regiment; dann wurden wir beide für einige Zeit auf Krankenurlaub nach Hause geschickt. Dort draußen hatte ich mich mit Audrey verlobt, und später reisten wir alle gemeinsam wieder zurück. Doch auf der Rückreise ereigneten sich seltsame Dinge. Infolge davon will Putnam die Verlobung rückgängig machen, und sogar Audrey zieht die Sache hin und ist unentschlossen – und ich weiß, wofür sie mich halten. Und Sie wissen es auch. Nun, das sind die Tatsachen: Wir waren einmal in einer indischen Stadt, und ich bat Putnam, mir einige Zigarren zu verschaffen. Er sagte mir, ich würde sie seinem Hause gegenüber bekommen. Ich habe später erfahren, daß er recht hatte, aber ‚gegenüber' ist eine gefährliche Bezeichnung, wenn ein anständiges Haus sechs elenden Hütten gegenübersteht, und ich muß mich eben in der Tür geirrt haben. Ich konnte sie nur mit Mühe öffnen, und als es mir endlich gelang, befand ich mich in einem finsteren Raum. Als ich mich jedoch umwendete, hatte sich die Tür langsam wieder geschlossen und war endlich mit einem Geräusch wie von unzähligen Riegeln ins Schloß gefallen. Es blieb mir nichts anderes übrig, als vorwärts zu gehen, was ich auch tat. Ich schritt durch stockfinstere Gänge, dann gelangte ich an eine Treppe und endlich an eine geschlossene Tür, deren Klinke ich tastend fand und endlich öffnete. Wieder trat ich ins Halbdunkel hinaus, das durch eine Unmenge kleiner, doch ruhig brennender Lampen in einen grünlichen Dämmerschein verwandelt wurde. Die Lampen brannten tief unten am Boden und erhellten nur den Fußboden oder den Saum irgendeines riesigen, leeren Raumes. Knapp vor mir befand sich etwas, das wie ein Berg aussah. Offen gestanden, wäre ich beinahe umgefallen, als ich erkannte, daß es ein Götzenbildnis war. Und was noch schlimmer war, ein Götzenbildnis, das mir den Rücken zukehrte.

Es war wohl kaum eine menschenähnliche Gestalt, soviel ich nach dem kleinen, plattgedrückten Kopf und mehr noch nach dem Schwanz oder dem schwanzähnlichen Glied urteilen konnte, das, hinten hinaufgedreht, wie ein widerlicher, großer Finger auf irgendwelche mystischen, in der Mitte des riesigen Steinrückens eingeschnitzte Zeichen deutete. Ich wollte, nicht ohne leises Entsetzen, eben versuchen, die Hieroglyphenschrift in der trüben Beleuchtung zu entziffern, als sich etwas noch Entsetzlicheres ereignete. Eine Tür öffnete sich leise in der Tempelmauer hinter mir, und ein Mann mit einem braunen Gesicht und in einem schwarzen Rock trat herein. Auf seinem Gesicht lag ein starres Lächeln, er hatte eine kupferfarbene Haut und elfenbeinfarbene Zähne; doch ich glaube, das Schrecklichste an ihm war, daß er europäische Kleider trug. Ich wäre vielleicht darauf gefaßt gewesen, glaube ich, vermummte Priester oder nackte Fakire zu erblicken. Aber dies schien zu besagen, daß die Teufelei über die ganze Welt verbreitet sei. Was sich auch später als wahr erwies.

‚Hättest du nur des Affen Füße erblickt', sagte der Mann ohne jede Einleitung, immer noch mit jenem starren Lächeln, ‚so wären wir sanft mit dir umgegangen, du wärest einfach gemartert worden und wärest endlich gestorben. Hättest du des Affen Antlitz erblickt, wären wir immer noch milde und tolerant geblieben – du wärest nur gemartert worden und hättest weitergelebt. Doch da du des Affen Schwanz gesehen hast, müssen wir das schrecklichste Urteil sprechen. Das heißt: Zieh frei von hinnen!'

Als er diese Worte gesprochen hatte, hörte ich, wie die eiserne Klinke, mit der ich mich geplagt hatte, sich automatisch öffnete und wie dann weit draußen am Ende des Ganges, den ich durchschritten hatte, die Straßentür ihre eigenen Riegel zurückschob.

‚Es wäre vergebens, um Gnade zu bitten; du bist frei und mußt gehen', sagte der Mann mit dem Lächeln. ‚Von nun an soll dich ein Haar wie ein Schwert treffen und ein Atemzug wie Schlangenbisse brennen; die Waffen sollen aus dem Nichts auf dich eindringen, und du sollst tausend Tode sterben.‘ Und damit verschlang ihn die Mauer wieder; und ich ging auf die Straße hinaus.“

Cray schwieg, und Pater Brown setzte sich unbefangen ins Gras und fing an, mit den Gänseblumen zu spielen.

Dann fuhr der Offizier fort: „Putnam machte sich natürlich mit seinem heiteren gesunden Menschenverstand über alle meine Befürchtungen lustig, und von jenem Tage an hat er angefangen, an meinem normalen Geisteszustand zu zweifeln. Nun, ich will Ihnen einfach mit möglichst wenigen Worten die drei Dinge erzählen, die sich seither zugetragen haben, und Sie sollen selbst urteilen, wer von uns beiden recht hat.

Das erste ereignete sich in einem indischen Dorf am Rande des Dschungels, doch viele hundert Meilen von jenem Tempel entfernt, wo der Fluch über mich gesprochen worden war. Ich wachte mitten in der Nacht auf und lag im Bett, ohne an etwas Besonderes zu denken. Da fühlte ich ein leises Kitzeln, als würde ein Faden oder ein Haar über meinem Hals vorbeigezogen. Ich fuhr ausweichend zurück und konnte nicht umhin, an jene Worte im Tempel zu denken. Doch als ich aufstand, Licht machte und einen Spiegel zur Hand nahm, sah ich, daß eine blutrote Linie über meinen Hals lief.

Das zweite ereignete sich in einem Quartier in Port Said, einige Zeit später, auf unserer gemeinsamen

Heimreise. Es war ein Zwischending zwischen Herberge und Raritätenladen, und, obwohl dort nichts zu sehen war, was auch nur im entferntesten an den Affenkult erinnerte, ist es natürlich doch möglich, daß sich einige Bildnisse oder Talismane dieser Art von Götzenverehrung an einem solchen Ort befanden. Jedenfalls war der Fluch dort wirksam. Wieder wachte ich in der Dunkelheit der Nacht auf mit einer Empfindung, die man durch kein nüchterneres und treffenderes Wort wiedergeben kann, als daß ein Atemhauch wie Schlangenbisse brannte. Alles Leben in mir war nur noch der Todeskampf vor dem Verlöschen. Ich stieß mit dem Kopf gegen viele Mauern, bevor ich gegen ein Fenster stieß und in den darunter befindlichen Garten mehr fiel als sprang. Putnam, der arme Kerl, der das andere einen zufälligen Kratzer genannt hatte, wurde nun gezwungen, die Tatsache, daß er mich am nächsten Morgen halb bewußtlos im Gras liegen fand, etwas ernster zu nehmen. Doch ich fürchte, er hat nur meinen Geisteszustand ernst genommen, nicht aber meine Geschichte.

Das dritte Ereignis trug sich in Malta zu. Wir befanden uns dort in einer Festung, und unsere Schlafzimmer hatten zufällig die Aussicht aufs Meer, das beinahe bis zu unseren Fenstersimsen herangereicht hätte, wäre nicht die flache weiße äußere Festungsmauer gewesen, die ebenso kahl war wie das Meer. Wieder erwachte ich, aber diesmal war es nicht dunkel. Heller Mondenschein erleuchtete das Zimmer, als ich zum Fenster schritt. Ich hätte einen Vogel auf der kahlen Mauer sehen können oder ein Segel am Horizont. Was ich jedoch sah, war eine Art Stock oder ein Zweig, der in kreisförmigen Linien frei im leeren Raume schwebte. Dann schoß das Ding plötzlich schnurgerade in mein Fenster und zertrümmerte die Lampe neben meinem Bett, das ich eben verlassen hatte. Es war eine jener seltsam geformten Keulen, die von einigen Stämmen des Ostens als Waffe verwendet werden. Doch war sie von keiner Menschenhand geschleudert worden ..."

Pater Brown warf einige abgerissene Gänseblümchen fort und erhob sich mit nachdenklichem Gesichtsausdruck. „Besitzt Major Putnam", fragte er, „irgendwelche Sehenswürdigkeiten oder Götzenbilder oder exotische Waffen, die man flüchtig sehen könnte?"

„Ja, eine ganze Menge, obwohl das nicht viel nützen dürfte, fürchte ich", erwiderte Cray, „aber kommen Sie auf alle Fälle in sein Arbeitszimmer."

Beim Betreten des Hauses begegneten sie Fräulein Watson, die im Begriff war, die Handschuhe zuzuknöpfen, und von weiter unten hörten sie die Stimme Putnams, die dem Koch immer noch eine Vorlesung hielt über irgendeine Kochkunst. Im Arbeitszimmer des Majors stießen sie plötzlich auf einen neuen Gast, der im Zylinderhut und Straßenanzug am Rauchtischchen saß, über ein offenes Buch gebeugt – ein Buch, das er ein wenig schuldbewußt fallen ließ, um sich den Eintretenden zuzuwenden. Cray stellte ihn höflich als Doktor Oman vor, doch sein Gesicht zeigte so deutlich alle Anzeichen einer tiefen Abneigung, daß Brown die Rivalität der beiden – ob Audrey nun davon wußte oder nicht – auf den ersten Blick erkannte. Doktor Oman war ein auffallend gut gekleideter Herr; er hatte angenehme Gesichtszüge, wenn seine Haut auch beinahe so dunkel war wie die eines Asiaten.

Cray schien das kleine Gebetbuch in Omans behandschuhter Hand besonders aufreizend zu finden.

„Ich wußte nicht, daß Ihnen dergleichen liegt", sagte er ein wenig unhöflich.

Oman lachte milde, doch wirkte seine Art nicht beleidigend. „Das hier gehört mehr in mein Fach, ich weiß", sagte er und legte die Hand auf das Buch, das er hatte fallen lassen, „es ist ein Nachschlagwerk über betäubende Getränke und ähnliches. Aber es ist ein wenig zu groß, um es mit in die Kirche zu nehmen." Damit schlug er das Buch zu, und wieder lag etwas wie Eile oder Verlegenheit in dieser Gebärde.

„Ich nehme an", sagte der Priester, der das Gesprächsthema wechseln wollte, „daß alle diese Speere und die übrigen Dinge hier aus Indien stammen?"

„Oh, die sind von überall", antwortete der Doktor. „Putnam ist ein alter Soldat und war, soviel ich weiß, in Mexiko und in Australien und auf den Inseln der Kannibalen."

„Ich hoffe, daß er zumindest seine Kochkunst nicht bei den Kannibalen gelernt hat", sagte Pater Brown. Und er ließ seine Blicke über die Bratpfannen und anderen seltsamen Gegenstände schweifen, die an der Wand hingen.

In diesem Augenblick steckte der heitere Gegenstand ihrer Unterhaltung sein lachendes, krebsrotes Gesicht zur Tür herein. „Komm, Cray!“ rief er. „Das Essen ist fertig. Und die Glocken läuten für jene, die zur Kirche gehen wollen.“

Cray schlüpfte hinauf, um sich umzukleiden; Dr. Oman und Fräulein Watson gingen gemessenen Schrittes die Straße hinab und schlossen sich einem Strom anderer Kirchgänger an; doch Pater Brown bemerkte, daß der Doktor sich zweimal umsah, ja sogar, bei der Ecke der Straße angelangt, wieder umkehrte und nochmals scharf prüfend zu dem Haus hinaufblickte.

Der Priester war ein wenig verwirrt. „Er kann doch nicht bei dem Müllbehälter gewesen sein“, brummte er leise vor sich hin. „Zumindest nicht in diesen Kleidern. Oder ist er zu einer noch früheren Morgenstunde dagewesen?“

Pater Brown war in bezug auf andere Menschen so empfindlich wie ein Barometer; doch heute schien er die Empfindsamkeit eines Rhinozerosses zu haben. Nach keiner Regel gesellschaftlicher Konvention, weder nach der strengsten noch nach der selbstverständlichsten, konnte man annehmen, daß er auch noch während des Essens der beiden Freunde weiter bleibe. Doch er blieb und verbarg die merkwürdige Situation unter einem Schwall zwar amüsanten, doch ganz zwecklosen Unterhaltungsgeredes. Sein Bleiben wurde um so verwunderlicher, als er nichts essen wollte. Es wurden nacheinander die gewähltesten und köstlichst bereiteten Gerichte aufgetragen, doch Pater Brown wiederholte immer nur, daß er einen Fasttag habe, und knabberte an einem Stückchen trockenem Brot. Doch in seinen Reden war er von übersprudelnder Laune.

„Ich werde Ihnen etwas sagen“, rief er, „wissen Sie, was ich für Sie tun werde? Ich werde Ihnen einen Salat anmachen! Ich darf ihn nicht essen, aber ich will ihn wie ein Engel zubereiten! Da haben Sie ja einen Kopfsalat.“

„Es ist leider das einzige, was wir haben“, antwortete der gutmütige Major. „Sie dürfen nicht vergessen, daß Senf, Essig, Öl und so weiter alles zusammen mit dem Ständer und dem Einbrecher verschwunden sind.“

„Ich weiß“, sagte Pater Brown ein wenig gleichgültig. „Das war es, was ich schon stets befürchtete. Darum trage ich diese Dinge immer bei mir. Ich esse Salat nämlich sehr gerne.“

Und zum Erstaunen der beiden Männer nahm er aus seiner Westentasche eine Pfefferdose und stellte sie auf den Tisch.

„Ich wundere mich, wozu der Einbrecher auch den Senf mitnahm“, fuhr er fort und holte aus einer anderen Tasche einen Senftiegel hervor. „Wahrscheinlich für ein Senfpflaster. Und Essig“, er zog diese Würze hervor, „ich glaube, ich habe einmal etwas über Essig und Packpapier gehört. Was nun das Öl anbelangt, so habe ich dieses, wenn ich nicht irre, in die linke ...“

Er hielt plötzlich einen Augenblick lang mitten in

seinem Geschwätz inne, denn als er zufällig die Augen hob, sah er, was keiner von den anderen sah: die schwarze Gestalt des Doktor Oman, die auf dem sonnenbeschienenen Rasen draußen stand und angestrengt ins Zimmer starrte. Bevor er sich wieder gesammelt hatte, war Cray ihm ins Wort gefallen.

„Sie sind ein merkwürdiger Kauz“, sagte er. „Ich werde mir Ihre Predigten anhören kommen, wenn diese ebenso unterhaltend sind wie Ihr Benehmen.“ Da schlug seine Stimme um, und er lehnte sich in seinen Stuhl zurück.

„Oh, man kann auch über einen Gewürzständer predigen“, sagte Pater Brown ernsthaft. „Haben Sie nie von dem Glauben gehört, der wie ein Senfkorn war, oder von einer Salbung mit Öl? Und was den Essig anbelangt, kann denn ein Soldat jemals jenen Soldaten vergessen, der, als die Sonne sich verdunkelte ...“

Oberst Cray beugte sich ein wenig vor und griff nach dem Tischtuch.

Pater Brown, der den Salat bereitete, tat schnell zwei Löffel Senf in ein Glas Wasser, das neben ihm stand, erhob sich und sagte mit plötzlich veränderter, lauter Stimme: „Trinken Sie das!“

In demselben Augenblick kam der Doktor, der bisher regungslos im Garten gestanden hatte, angerannt und riß ein Fenster auf. „Werde ich benötigt?“ rief er. „Ist er vergiftet worden?“

„Beinahe“, sagte Brown mit einem ganz schwachen Lächeln; denn das Brechmittel hatte sofort gewirkt.

Cray lag in einem Lehnsessel, keuchend, als schnappte er nach Luft, aber lebendig.

Major Putnam war aufgesprungen, sein purpurfarbenes Gesicht war weiß gefleckt.

„Ein Verbrechen!“ schrie er heiser. „Ich werde die Polizei holen!“

Der Priester hörte, wie er seinen Hut vom Kleiderhaken riß und zur Tür hinausstürzte; dann wurde die Gartentür zugeschlagen.

Doch Brown stand ruhig da, sah Cray an und sagte nach einer Pause leise:

„Ich werde jetzt nicht viel mit Ihnen reden; aber ich werde Ihnen sagen, was Sie wissen wollen. Es liegt kein Fluch auf Ihnen. Der Tempel des Affen war entweder ein Zufall oder ein Teil der Vorspiegelungen, und diese waren das Werk eines weißen Mannes. Es gibt nur eine Waffe, die bei federleiser Berührung Blut hervorbringt: eine Rasierklinge, von der Hand eines Weißen geführt. Es gibt nur eine Methode, einen gewöhnlichen Raum mit unsichtbaren, überwältigenden Giftdämpfen zu erfüllen: das Gas aufzudrehen – das Verbrechen eines Weißen. Und es gibt nur eine Keule, die, aus einem Fenster geschleudert, sich mitten in der Luft umdrehen und in das benachbarte Fenster fliegen wird: ein australischer Bumerang. Sie können einige davon im Arbeitszimmer des Majors sehen.“

Damit ging er hinaus und sprach einen Augenblick lang mit dem Doktor. Im nächsten Augenblick stürzte Audrey Watson ins Haus und sank vor Crays Stuhl auf die Knie. Brown konnte nicht hören, was die beiden miteinander sprachen, doch in ihren Gesichtern malte sich reines Erstaunen, keine Spur von Traurigkeit. Der Doktor und der Priester gingen langsam miteinander auf die Gartentür zu.

„Ich nehme an, daß der Major auch in sie verliebt war", sagte Brown seufzend, und als der andere nickte, bemerkte er: „Sie haben sich großmütig benommen, Doktor, das war schön von Ihnen. Aber wieso haben Sie Verdacht geschöpft?"

„Aus einer Kleinigkeit", sagte Oman, „doch ich konnte in der Kirche keine Ruhe finden und mußte zurückkommen und sehen, ob alles in Ordnung sei. Jenes Buch auf seinem Tisch war ein Werk über Gifte und lag an einer Stelle aufgeschlagen, wo erklärt wird, daß ein gewisses indisches Gift zwar tödlich wirke und schwer nachzuweisen sei, aber durch das einfachste Brechmittel besonders leicht unschädlich gemacht werden könne. Ich nehme an, daß er das im letzten Augenblick las ..."

„Und sich erinnerte, daß im Gewürzständer Brechmittel zur Hand wären", sagte Pater Brown. „Ganz richtig. Er hat, um einen Einbruch zu fingieren, das Silber zusammen mit dem Ständer in die Müllkiste geworfen, wo ich alles fand. Doch wenn Sie die Pfefferdose genau ansehen, die ich auf den Tisch gestellt habe, so werden Sie ein kleines Loch darin finden. Dort hat Crays Kugel eingeschlagen, den Pfeffer in die Luft geblasen und den Verbrecher zum Niesen gezwungen."

Es entstand eine Pause. Dann sagte Doktor Oman boshaft:

„Der Major sucht aber lange nach der Polizei."

„Oder die Polizei sucht ihn", sagte der Priester. „Nun leben Sie wohl!"

Charles Dickens

Der Kunstgriff

„Eins der allerschönsten Dinger, die vielleicht je gedreht worden sind“, sagt Inspektor Wield, „das war ein Kniff Sergeant Witchems. Es war ein entzückender Einfall!

Witchem und ich waren an einem Derby-Tag da unten und warteten auf die Taschendiebe. Wir sind immer am Bahnhof, wenn Rennen sind oder eine landwirtschaftliche Ausstellung oder sonst etwas dergleichen, und wenn die Taschendiebe dann mit der Bahn runterkommen, schicken wir sie mit dem nächsten Zug wieder zurück. Aber an diesem Derby-Tag, den ich bereits erwähnte, hatten uns ein paar von denen insofern zum besten, als sie sich Wagen und Pferde mieteten, von London über Whitechapel losfuhren und meilenweite Umwege machten, von der anderen Richtung nach Epsom hereinkamen und auf dem Rennplatz rechts und links zu arbeiten anfingen, während wir an der Bahn auf sie warteten. Aber das ist noch nicht der Clou meiner Erzählung.

Während Witchem und ich also am Bahnhof warten, kommt ein gewisser Herr Tatt; ein Herr, der früher im öffentlichen Dienst gestanden hatte und jetzt die Sache so aus Liebhaberei weiterführte und sehr angesehen war. ‚Hallo, Charley Wield‘, sagt er, ‚was machen Sie denn hier? Passen auf ein paar Ihrer alten Freunde auf?‘

‚Ja, die alte Geschichte, Herr Tatt.'

‚Kommen Sie mit, Sie und Witchem', sagt er, ‚und trinken Sie ein Glas Sherry mit.'

‚Wir können uns nicht vom Fleck rühren', sag' ich, ‚bis der nächste Zug da ist; dann mit Vergnügen.' Herr Tatt wartet, der Zug kommt, und dann gehen Witchem und ich mit ihm ins Wirtshaus, um etwas zu trinken.

Herr Tatt hatte sich für heute ohne jede Rücksicht auf Kosten aufgetakelt; und vorn im Hemd hatte er eine wundervolle Brillantnadel, hatte ihn drei- oder viertausend Mark gekostet – tatsächlich 'ne sehr hübsche Nadel. Wir trinken also unseren Sherry am Schanktisch und haben so unsere drei oder vier Gläser gehabt, als Witchem plötzlich ruft: ‚Aufgepaßt, Herr Wield! Feststehen!' und die Feinen (Taschendiebe) sausen in die Bude rein, vier Mann hoch – die auf die Weise heruntergekommen waren, wie ich's Ihnen erzählte, und im Augenblick ist Herrn Tatts Nadel weg. Witchem schneidet ihnen den Rückweg zur Tür ab, ich hau' um mich, so hart ich kann, Herr Tatt zeigt sich auch nicht abgeneigt, und da liegen wir alle zusammen Hals über Kopf und prügeln uns auf dem Fußboden herum – so 'ne Verwirrung haben Sie in Ihrem Leben wohl noch nicht gesehen! Wir hielten unsere Leute aber fest (Herr Tatt war ja so gut wie jeder Beamte) und faßten sie alle und brachten sie zum Bahnhof. Der Bahnhof ist voller Leute, die auf dem Rennplatz festgenommen waren; und es war ein feines Stück Arbeit, sie alle unterzubringen. Indessen endlich wurden wir damit fertig und durchsuchten sie; aber es wurde nichts bei ihnen gefunden, und sie wurden eingeschlossen; und wir waren allmählich hübsch heiß dabei geworden, kann ich versichern!

Mir war recht dämlich zumute bei dem Gedanken, daß die Nadel dabei verlorengegangen war; und ich sag' zu Witchem, als wir sie zurechtgemacht hatten und uns zusammen mit Herrn Tatt etwas abkühlten: ‚Bei diesem Zug haben wir jedenfalls nicht viel gefangen, denn es ist nichts bei ihnen gefunden worden, und es kommt schließlich bloß eine kurze Gefängnisstrafe dabei heraus.'

‚Wie meinen Sie das, Herr Wield?' sagt Witchem. ‚Die Diamantnadel ist hier' und da hatte er sie auf der Handfläche, gesund und wohlbehalten. ‚Nanu! Bei allem, was wunderlich ist', sagen Herr Tatt und ich, ‚wie sind Sie denn zu der gekommen?'

‚Das will ich Ihnen sagen, wie ich zu der gekommen bin', sagt er. ‚Ich sah, welcher von ihnen sie stahl; und als wir alle miteinander auf der Erde lagen und uns prügelten, tippte ich ihn so ganz leise auf den Handrücken, wie seine Genossen es machen würden, wie ich wußte; und er gab sie mir.' Wunderschön war das, wunderschön!

Aber auch das war noch kaum das Beste an diesem Falle, denn dieser Bursche wurde nachher vor den Vierteljahrs-Sitzungen in Guildford vor dem Friedensrichter vernommen. Na, wollen Sie mir glauben, während die schwerfälligen Richter da in den Parlamentsakten nachsahen, um zu finden, was sie für ihn tun könnten, ich will verdammt sein, wenn er nicht vor ihren Augen aus der Anklagebank ausbricht! Aus der Anklagebank brach er aus, Herr, unmittelbar vor ihren Augen, schwamm durch einen Fluß und kletterte auf einen Baum, um sich zu trocknen. Auf diesem Baum wurde er verhaftet – eine alte Frau hatte ihn hinaufklettern sehen –, und Witchems Kunstgriff trug ihm die Verschickung ein!"

Edgar Allan Poe

Der entwendete Brief

Ich saß im Jahre 18.. in Paris an einem Herbstabend mit meinem Freund August Dupin zusammen. Plötzlich trat Herr G., der Polizeipräfekt, ins Zimmer. Er war gekommen, um uns in einer bestimmten Angelegenheit um Rat zu fragen. „Um was für Schwierigkeiten handelt es sich denn wieder?" fragte ich. „Doch nicht um eine neue Mordsache?"

„O nein, um nichts Derartiges. Eigentlich liegt der Fall sehr einfach, und ich zweifle nicht im geringsten, daß wir auch allein mit ihm fertig werden. Aber ich dachte mir, Dupin würde gern Näheres über die Sache erfahren, weil sie so außerordentlich ‚sonderbar' ist."

„Einfach und sonderbar!" sagte Dupin.

„Allerdings, und doch ist dieser Ausdruck noch nicht exakt genug. Der Fall hat uns alle vollständig verblüfft, denn, so einfach er ist, es weiß doch keiner von uns recht aus noch ein."

„Um was handelt es sich eigentlich?" fragte ich.

„Das sollen Sie gleich hören", antwortete der Präfekt. „Ich will es Ihnen in ein paar Worten sagen; doch muß ich vorausschicken, daß meine Angelegenheit die größte Diskretion erfordert. Ich könnte meine Stellung einbüßen, wenn es bekannt würde, daß ich diese Sache irgend jemandem anvertraut hätte."

„Nur weiter", sagte ich.

„Nun gut also. Ich habe persönlich von höchster Stelle die Nachricht erhalten, daß aus den königlichen Gemächern ein äußerst wichtiges Dokument entwendet worden ist. Die Person, die es sich angeeignet hat, ist bekannt; daß man sie ungerecht verdächtigt, ist ausgeschlossen, denn man hat sie bei der Tat beobachtet. Man weiß ebenfalls, daß sich das Schriftstück noch in ihrem Besitz befindet."

„Woher weiß man das?" fragte Dupin.

„Man schließt es mit absoluter Gewißheit aus der Natur des Dokumentes", erwiderte der Präfekt, „sowie auch aus der Tatsache, daß sich gewisse Resultate noch nicht ergeben haben, die sofort zutage treten würden, wenn es aus dem Besitz des Diebes in andere Hände überginge – das heißt, wenn er es zu dem Zweck verwendete, zu dem allein er es gestohlen haben kann."

„Werden Sie doch ein wenig deutlicher", sagte ich.

„Gut, dann will ich so weit gehen und noch verraten, daß dieses Papier seinem Besitzer eine gewisse Macht verleiht, und zwar in einer Sache, in der diese Macht von unermeßlichem Werte ist."

„Ich verstehe noch immer nicht", sagte Dupin.

„So? Nun, wenn man das Dokument einer dritten Person, deren Namen ich verschweigen will, übergeben würde, wäre die Ehre einer anderen, sehr hochstehenden Person kompromittiert, und diese Tatsache gibt dem Inhaber des Schriftstückes Gewalt über die erlauchte Person, deren Ehre und deren Friede auf diese Weise in steter Gefahr schwebt."

„Aber diese Gewalt“, warf ich ein, „könnte doch nur ausgeübt werden, wenn der Dieb wüßte, daß der Bestohlene um seinen Diebstahl weiß. Wer aber würde wagen ...“

„Der Dieb“, sagte G., „ist der Minister D., der alles wagt, ohne sich Skrupel zu machen, ob seine Handlungen eines Mannes würdig sind oder nicht. Er ging bei seinem Diebstahl ebenso scharfsinnig wie kühn zu Werke. Das fragliche Dokument – um es frei herauszusagen: den Brief also – hatte die bestohlene Person erhalten, als sie sich im königlichen Boudoir allein befand. Während des Lesens wurde sie durch den Eintritt der anderen erlauchten Persönlichkeit, vor der sie ihn gerade sorgfältig verbergen wollte, unterbrochen; nach einem eiligen und vergeblichen Versuch, ihn in einer Schublade zu verbergen, war sie gezwungen, ihn offen, wie er war, auf dem Tisch liegen zu lassen. Die Seite mit der Adresse war nach oben gekehrt, und so kam es, daß der Brief, von dessen Inhalt nichts zu sehen war, weiter nicht bemerkt wurde. Nach diesem kleinen Zwischenfall tritt der Minister D. ein. Sein Luchsauge bemerkt das Papier, erkennt die Handschrift der Adresse, beobachtet die Verwirrung der Person, an die der Brief gerichtet war, und durchschaut das Geheimnis sofort. Nach einigen geschäftlichen Erörterungen, die er in seiner bekannten Art herunterhaspelt, zieht er einen Brief hervor, der mit jenem anderen einige Ähnlichkeit hat, tut, als wolle er einen Blick hineinwerfen und legt ihn sodann dicht neben jenen hin. Dann redet er wieder etwa eine Viertelstunde lang über Staatsgeschäfte. Als er sich schließlich verabschiedet, nimmt er statt seines eigenen den Brief vom Tisch, der ihm nicht gehört. Die rechtmäßige Eigentümerin sah es, wagte jedoch nicht, darauf aufmerksam zu machen, da jene dritte Person, vor der sie das Schreiben verbergen mußte, dicht neben ihr stand. Der Minister verließ das Gemach, sein eigener, durchaus unwichtiger Brief blieb auf dem Tische zurück."

„Hier haben Sie also", wandte sich Dupin zu mir, „einen Fall, in dem der Dieb die Gewalt, von der wir eben redeten, in vollstem Maße besitzt: ‚Er weiß, daß der Bestohlene von seiner Tat unterrichtet ist.'"

„Ja", erwiderte der Präfekt, „und die so erlangte Gewalt ist während der letzten Monate in gefährlichem Umfang zu politischen Zwecken angewendet worden. Die bestohlene Person überzeugt sich von Tag zu Tag mehr von der Notwendigkeit, den Brief zurückzuerlangen. Doch kann das natürlich nicht offen geschehen. Jetzt hat sie mir voller Verzweiflung die Sache übertragen."

„Es ist klar", sagte ich, „daß der Brief, wie Sie bemerkten, noch im Besitz des Ministers ist; denn nur der Besitz und nicht die Anwendung des Briefes verleiht ihm seine schädliche Gewalt. Sobald er Gebrauch von dem Brief gemacht hat, ist die durch ihn erlangte Macht dahin."

„Das ist richtig", sagte G., „und von dieser Überzeugung ging auch ich aus. Meine erste Sorge war, die Wohnung des Ministers vollständig durchsuchen zu lassen. Die Hauptschwierigkeit bei diesem Unternehmen bestand darin, daß es ohne sein Wissen geschehen mußte. Man warnte mich oft und dringend vor dem Unheil, das er anrichten würde, wenn er unseren Plan nur im geringsten ahnte."

„Aber solche Nachsuchungen", sagte ich, „sind doch gerade Ihre Stärke. Die Pariser Polizei hat dergleichen doch schon oft vorgenommen."

„O gewiß! Und deshalb verzweifelte ich auch nicht. Außerdem erleichterten mir die Lebensgewohnheiten des Ministers mein Vorhaben in hohem Grade. Er bleibt oft die ganze Nacht von zu Hause fort. Seine Dienerschaft ist durchaus nicht zahlreich. Ihre Schlafzimmer liegen ziemlich weit von den Räumen des Ministers entfernt, und da sie zumeist Neapolitaner sind, kann man sie leicht betrunken machen. Wie Sie wissen, habe ich Schlüssel, mit denen ich jedes Zimmer, jedes Kabinett in Paris öffnen kann. Seit drei Monaten ist wohl keine Nacht vergangen, in der ich nicht stundenlang in eigener Person die Wohnung des Ministers durchsucht hätte. Es handelt sich hier um meine Ehre und, nun verrate ich ein Geheimnis, um eine enorme Belohnung. Deshalb stellte ich die Nachsuchungen auch nicht eher ein, bis ich mich fest davon überzeugt hatte, daß der Dieb ein listigerer Mann sei als ich selbst. Ich darf mir das Zeugnis ausstellen, daß ich alle Ecken und Winkel, in denen man den winzigsten Papierfetzen hätte verbergen können, gründlichst durchforscht habe."

„Aber ist es nicht möglich", warf ich ein, „daß der

Minister, obwohl zweifellos noch im Besitz des Briefes, diesen irgendwo anders als in seinem Hause verborgen hält?"

„Das ist nicht anzunehmen", sagte Dupin. „Wie die Dinge bei Hofe und besonders die Intrigen, in die D. bekanntermaßen verwickelt ist, nun einmal liegen, ist es von größter Wichtigkeit, das Dokument jederzeit bei der Hand zu haben, um es jeden Augenblick vorzeigen zu können – ja, dieser Punkt ist fast so wichtig wie der Besitz des Schriftstückes selbst."

„Um es jeden Augenblick vorzeigen zu können?" wiederholte ich.

„Das heißt, zerstören zu können", meinte Dupin.

„Jedenfalls", bemerkte ich. „Das Papier muß also in der Wohnung sein. Daß der Minister es nicht mit sich herumträgt, steht wohl außer Frage."

„Vollständig", sagte der Präfekt, „zweimal schon habe ich ihm, scheinbar von Straßenräubern, auflauern und ihn vor meinen Augen durchsuchen lassen."

„Diese Mühe hätten Sie sich sparen können", sagte Dupin. „D. ist doch kein Narr und muß also derartige Überfälle vorausgesehen haben."

„Ein Narr ist er gerade nicht, aber ein Dichter", meinte G., „und als solcher meiner Meinung nach von einem Narren nicht gar so sehr verschieden."

„Teilen Sie uns doch die näheren Umstände Ihrer Nachforschungen mit!" sagte ich.

„Nun also, wir nahmen uns Zeit und suchten überall. Ich nahm das ganze Gebäude vor, ein Zimmer nach dem anderen, und widmete jedem einzelnen die

Nächte einer ganzen Woche. Zuerst durchsuchten wir die Möbel jedes Zimmers. Wir öffneten jedes erdenkliche Schubfach, und Sie können sich denken, daß für einen gut geschulten Polizisten kein Geheimfach oder sonstiges Versteck existiert. Jeder Mann, dem bei einer Haussuchung ein Geheimfach entgeht, ist ein Tölpel. Die Sache ist so einfach. Bei einem Schrank ist doch stets ein ganz genau bestimmter Umfang, ein bestimmter Raum in Betracht zu ziehen. Wir stellen die genauesten Berechnungen an. Nicht der Bruchteil eines Millimeters konnte uns entgehen.

Nach den Schränken nahmen wir die Stühle vor. Die Polster wurden mit langen, feinen Nadeln untersucht. Von den Tischen hoben wir die Platten ab."

„Wozu das?"

„Manchmal entfernt die Person, die einen Gegenstand verbergen will, die Platte des Tisches oder eines ähnlich gestalteten Gegenstandes, höhlt das Bein aus, legt den betreffenden Gegenstand in der Höhlung nieder und befestigt die Platte wieder. Die Bretter und Pfosten von Bettstellen werden auch oft ähnlich gebraucht."

„Aber könnte man eine solche Höhlung nicht durch Klopfen entdecken?" fragte ich.

„Absolut nicht, wenn man nach dem Hineinlegen des Gegenstandes die Aushöhlung mit Watte gefüllt hat. Überdies mußten wir in unserem Fall jedes Geräusch nach Möglichkeit vermeiden."

„Aber Sie konnten doch nicht sämtliche Möbel auseinandernehmen oder in Stücke zerbrechen, in denen man möglicherweise einen Brief hätte verstecken können. Ein solch kleines Schriftstück kann man so fest zusammenrollen, daß es in Gestalt und Umfang kaum von einer Stricknadel abweicht, und einen solchen Körper könnte man mit Bequemlichkeit zum Beispiel in die Leiste eines Stuhles einlegen. Sie werden doch nicht alle Stühle zerlegt haben?“

„Keineswegs – wir machten es noch gründlicher, wir untersuchten die Leisten jedes Stuhles im Hause, ja, sogar die einzelnen Teile jeder Art von Möbel mit einem stark vergrößernden Mikroskop. Wären irgendwo die Spuren einer vor kurzem vorgenommenen Veränderung sichtbar gewesen, so wäre uns dies gewiß nicht entgangen. Ein einziges Körnchen Sägemehl zum Beispiel, das der Bohrer hätte zurücklassen können, wäre in der Größe eines Apfels sichtbar gewesen. Die geringste Ungenauigkeit bei dem erneuten Leimen, das unbedeutendste Klaffen in dem Gefüge hätte unfehlbar zur Entdeckung geführt.“

„Sie untersuchten natürlich auch die Spiegel, die Dielen, das Eßgeschirr und durchstöberten Betten, Bettzeug ebenso wie auch Vorhänge und Teppiche?“

„Selbstverständlich, und als wir mit jedem Möbelteilchen fertig waren, untersuchten wir das Haus selbst. Wir teilten seine ganze Oberfläche in Abteilungen, die wir mit Zahlen bezeichneten, damit wir keine übergingen. Dann durchforschten wir jeden Quadratzoll des Hauses mit dem Mikroskop und untersuchten schließlich auch die beiden Nebenhäuser in derselben Weise.“

„Auch die beiden Nebenhäuser?" rief ich aus. „Welch unendliche Mühe müssen Sie gehabt haben!"

„Die hatten wir allerdings, aber die ausgesetzte Belohnung ist auch enorm."

„Haben Sie auch den Grund und Boden der Häuser untersucht?"

„Der Boden war überall mit Ziegelsteinen gepflastert und machte uns verhältnismäßig wenig Mühe. Wir untersuchten das Moos zwischen den einzelnen Steinen und fanden es überall unberührt."

„Sie durchforschten auch D.s Papiere und die Bücher seiner Bibliothek?"

„Gewiß! Wir öffneten jedes Päckchen, jedes Heftchen; wir begnügten uns nicht damit, nach der Art einiger Polizeibeamten, ein Buch einfach zu schütteln, sondern wendeten jedes Blatt einzeln um. Die Dicke eines jeden Buchdeckels maßen wir auf das genaueste ab und unterwarfen ihn der peinlichsten mikroskopischen Untersuchung. Es ist vollständig ausgeschlossen, daß einer der Einbände neuerdings aufgeschnitten und wieder zusammengefügt worden ist – diese Tatsache hätte uns auf keinen Fall entgehen können. Etwa fünf oder sechs Bände, die eben vom Buchbinder gekommen waren, durchsuchten wir sorgfältig mit unseren Nadeln."

„Haben Sie auch den Fußboden unter den Teppichen durchforscht?"

„Aber selbstverständlich, wir nahmen jeden Teppich auf und untersuchten die Dielen mit dem Mikroskop."

„Auch die Tapeten an den Wänden?“
„Ja.“
„Besichtigten Sie auch die Keller?“
„Ebenfalls.“
„Dann müssen Sie sich also verrechnet haben“, sagte ich, „und der Brief befindet sich nicht im Hause des Ministers.“
„Ich fürchte, Sie haben recht“, sagte der Präfekt. „Und nun, Dupin, was würden Sie mir raten zu tun?“
„Noch einmal eine gründliche Haussuchung vorzunehmen.“
„Das ist vollständig nutzlos“, sagte G., „so gewiß ich weiß, daß ich lebe, so gewiß befindet sich der Brief nicht in diesem Haus.“
„Einen besseren Rat kann ich Ihnen nicht geben“, sagte Dupin. „Sie haben doch gewiß eine genaue Beschreibung des Briefes?“
„O ja!“ Hier zog der Präfekt ein Notizbuch hervor und las uns eine ausführliche Beschreibung der inneren und vor allem der äußeren Beschaffenheit des Briefes vor. Als er damit fertig war, verabschiedete er sich so niedergeschlagen, wie ich den guten Mann noch nie gesehen hatte.
Etwa einen Monat später besuchte er uns wieder und fand uns fast in der gleichen Situation wie das vorige Mal. Endlich fragte ich: „Nun, G., wie steht es denn mit dem gestohlenen Brief? Ich glaube, Sie haben sich wohl überzeugt, daß sich der Minister nicht so leicht überlisten läßt!“
„Der Teufel soll ihn holen – ja! Ich habe die Unter-

suchung auf Dupins Vorschlag wieder aufgenommen, aber es war verlorene Mühe, wie ich vorausgesehen hatte."

„Wie hoch, sagten Sie, war die ausgesetzte Belohnung?" fragte Dupin.

„Nun, sie war sehr hoch – es war eine sehr großzügige Belohnung, ich möchte die Summe nicht gern nennen, aber soviel will ich Ihnen sagen, daß ich jedem, der mir den Brief aushändigt, gern eine Anweisung auf fünfzigtausend Francs ausstellen würde. Die Sache wird von Tag zu Tag wichtiger, erst kürzlich ist die Belohnung verdoppelt worden. Aber selbst wenn man sie verdreifachte, könnte ich nicht mehr tun, als ich tue und getan habe."

„Nun", sagte Dupin gedehnt, „ich glaube wirklich – lieber G. – Sie haben in dieser Sache – noch nicht – das Äußerste getan. Sie könnten – noch manches in Betracht ziehen – meine ich."

„Was denn? – Wieso? –"

„Nun, Sie könnten in der Sache Rat einholen. Kennen Sie die Geschichte, die man sich von Doktor Abernethy erzählt?"

„Nein! Hole der Geier Ihren Abernethy!"

„Das kann er ja meinetwegen tun. Aber eines Tages kam ein reicher Geizhals auf die Idee, diesem Abernethy einen ärztlichen Rat abzulisten. Er nahm ihn in einer Privatgesellschaft beiseite und erzählte ihm seinen Fall, als handele es sich um den einer fingierten dritten Person.

‚Nehmen wir an', sagte der Geizhals, ‚seine Symptome seien diese und jene, was würden Sie ihm raten, zu nehmen, Herr Doktor?'

,Nehmen?' sagte Abernethy, ,nun, ich würde ihm raten, unbedingt einen Arzt zu nehmen.'"

„Aber", meinte der Präfekt, „ich bin sehr gern bereit, Rat einzuholen und auch dafür zu bezahlen. Ich würde wirklich jedem, der mir in dieser Sache Hilfe leistet, fünfzigtausend Francs zahlen."

„Wenn das der Fall ist", sagte Dupin, indem er eine Schublade öffnete und ein Scheckbuch herausholte, „können Sie mir einen Wechsel über den erwähnten Betrag ausstellen. Wenn Sie unterschrieben haben, werde ich Ihnen den Brief aushändigen."

Ich war verblüfft, der Präfekt wie vom Donner gerührt. Einige Minuten lang saß er sprachlos und unbeweglich und blickte meinen Freund mit offenem Munde und starren Augen ungläubig an. Dann ergriff er eine Feder und füllte, oftmals innehaltend und vor sich hin starrend, einen Wechsel über fünfzigtausend Francs aus und reichte ihn über den Tisch hinweg meinem Freund. Dieser prüfte ihn sorgfältig und steckte ihn in seine Brieftasche; dann schloß er seinen Schreibtisch auf, entnahm diesem einen Brief und überreichte ihn dem Präfekten. Der Beamte ergriff ihn mit wahrer Ekstase, öffnete ihn mit zitternder Hand, überflog mit raschem Blick den Inhalt, stolperte, stürzte dann zur Tür und eilte ohne weitere Umstände zum Haus hinaus – ohne auch nur ein Wort gesprochen zu haben, seit ihn Dupin aufgefordert hatte, den Wechsel zu unterzeichnen.

Als er uns verlassen hatte, gab mir mein Freund einige Erklärungen.

„Die Pariser Polizei“, sagte er, „ist in mancher Hinsicht sehr tüchtig. Sie ist beharrlich, scharfsinnig, listig und besitzt auf den Gebieten, auf denen sie zu arbeiten hat, durchaus gründliche Kenntnisse. Als uns G. erzählte, daß er in der Wohnung des Ministers Haussuchung abgehalten habe, war ich vollständig überzeugt, daß es so gründlich und unübertrefflich gewissenhaft geschehen sei, wie es einem Menschen nur immer möglich ist – d. h. gründlich und gewissenhaft, soweit er eben die Durchsuchung ausdehnte.“

„Soweit er die Durchsuchung ausdehnte?“ fragte ich.

„Ja!“ antwortete Dupin. „Die Maßregeln, die er ergriff, waren nicht nur die besten ihrer Art, sie wurden auch vollkommen gut durchgeführt. Wäre der Brief innerhalb des Bereiches seiner Untersuchungen versteckt gewesen, man hätte ihn unter allen Umständen gefunden.“

Ich lachte bloß, er schien jedoch vollständig im Ernst zu reden.

„Die Maßregeln also“, fuhr er fort, „waren in ihrer Art gut und waren auch gut angewandt; der Fehler bestand jedoch darin, daß sie auf diesen Mann und diesen Fall nicht anwendbar waren. Doch ich glaube, mancher Schulknabe ist ein besserer Denker als er. Ich kannte einen achtjährigen kleinen Kerl, dessen Erfolge bei dem Spiel ‚Gerade oder ungerade‘ die allgemeine Aufmerksamkeit erregten. Er versuchte einfach, sich in die Denkweise des anderen hineinzuversetzen, und gewann immer. Der Präfekt und seine Untergebenen irren so häufig, weil sie versäumen, sich mit ihrem Gegner zu identifizieren und seinen Verstand entweder gar nicht oder falsch abschätzen. Sie haben eine ganz bestimmte Vorstellung von Scharfsinn, und wenn sie irgend etwas Verstecktes suchen, so tun sie es da, wo sie selbst es verborgen haben würden. Sie haben ja darin recht, daß ihr Scharfsinn den der großen Masse getreu repräsentiert, aber wenn die Schlauheit eines Verbrechers von dem Charakter der ihrigen verschieden ist, werden sie natürlich überlistet. Dies ist immer der Fall, wenn der Gegner an Verstand überlegen ist, und sehr häufig, wenn er geistig unter ihnen steht. Was ist zum Beispiel in diesem Falle des D. getan worden, um die Methode des Verfahrens zu ändern? Was soll all dies Bohren, Durchsuchen und Klopfen, dies Besichtigen mit dem Mikroskop, all dies Einteilen des Gebäudes in numerierte Quadratzölle? Sehen Sie nicht deutlich, daß er es als gewiß angenommen hat, daß alle Menschen, die einen Brief verstecken wollen, diesen, wenn auch nicht gerade in ein Loch, das sie in ein Stuhlbein gebohrt haben, so doch in irgendeinen verborgenen Winkel legen, daß sie also demselben Gedankengange folgen, der einen Menschen veranlassen würde, einen Brief in ein Bohrloch im Stuhlbein zu verstecken? Und sehen Sie nicht auch ein, daß solche ausgeklügelten Verstecke nur bei gewöhnlichen Gelegenheiten anwendbar sind und nur von Menschen mit mittelmäßigem Verstand benutzt werden? Denn immer, wenn etwas versteckt worden ist, kann man fast mit Sicherheit annehmen, daß es in der einen, erwähnten, ausgeklügelten Weise geschah. Die Auffindung hängt also durchaus nicht von dem Scharfsinn des Suchenden ab, sondern von seiner Sorgfalt, Geduld und Beharrlichkeit. Jetzt werden sie verstehen, was ich meinte, als ich die Vermutung aussprach, daß der Brief ohne Zweifel entdeckt worden wäre, wenn er sich innerhalb des Bereiches der polizeilichen Nachforschungen befunden hätte. Der Präfekt ist jedoch gründlich hinters Licht geführt worden, und der letzte Grund seiner Niederlage liegt in der Annahme, daß der Minister ein Narr sei, weil er einigen Ruf als Dichter hat. Der Präfekt behauptet nun, daß alle Narren Dichter sind, und macht sich nur eines logischen Fehlers schuldig, wenn er zurückschließt, daß alle Dichter Narren seien."

„Aber ist der Minister wirklich ein Dichter?" fragte ich. „Soviel ich weiß, hat er noch einen Bruder, beide haben einen Ruf als Schriftsteller. Der Minister hat, glaube ich, eine gelehrte Abhandlung über die Differentialrechnung geschrieben. Er ist ein Mathematiker und kein Dichter."

„Da irren Sie sich, ich kenne ihn gut, er ist beides. Nur als Mathematiker und Dichter hat er alles so geschickt berechnen können; wäre er nur Mathematiker gewesen, ich bin sicher, der Brief wäre in die Hände des Präfekten gefallen. Ich will damit sagen", fuhr Dupin fort, „daß der Präfekt niemals in die Lage gekommen sein würde, mir den Wechsel ausstellen zu müssen, wenn der Minister nichts weiter als ein bloßer Mathematiker wäre. Ich hingegen wußte, daß er beides war, Mathematiker und Dichter, und deshalb paßte ich meine Maßregeln diesen beiden Fähigkeiten an und zog auch die besonderen Umstände, die ihn zum Verstecken bewogen, genügend in Betracht. Ich wußte, daß er ein Hofmann und ein kühner Intrigant ist, und mußte mir sagen, daß ein solcher Mann die Praxis polizeilicher Nachforschungen kennt. Höchstwahrscheinlich würde er sich darauf gefaßt machen – und die Ereignisse haben gezeigt, daß er es tat –, überfallen zu werden. Ebenso mußte er der geheimen Nachforschungen in seinem Haus gewärtig sein. Seine wiederholte nächtliche Abwesenheit vom Hause, die der Präfekt als so günstig für seine Sache hinstellte, hielt ich für nichts anderes als eine geschickte List, um der Polizei Zeit zum Durchsuchen des Hauses zu gewähren und sie zu der Überzeugung zu bringen, daß sich der Brief nicht in der Wohnung befinde.

Dieser Mann, sagte ich mir, ist viel zu klug, um nicht einzusehen, daß das komplizierteste Versteck, der verborgenste Winkel so offen vor den Augen, den Sonden, den Bohrern und Mikroskopen der Polizei daläge wie seine gewöhnlichen Empfangszimmer. Ich sah schließlich ein, daß er aus natürlichen Gründen zum einfachsten Versteck genötigt sein würde, selbst wenn er nicht aus freier Wahl auf diesen Ausweg verfiele.“ Ich lachte.

„Es gibt ein Rätselspiel, das man auf einer Landkarte spielt“, fuhr er fort. „Der eine Spieler gibt dem anderen auf, ein bestimmtes Wort aufzusuchen – den Namen einer Stadt, eines Flusses, eines Staates, eines Reiches – kurz, irgendein Wort, das auf der buntscheckigen, kreuz und quer beschriebenen Karte steht. Ein Anfänger in dem Spiel wird seinen Gegner stets dadurch zu verwirren suchen, daß er ihn die am kleinsten geschriebenen Namen suchen läßt; der geübtere Spieler wählt solche Worte aus, die sich in großen Buchstaben von einem Ende der Karte zum anderen ziehen. Diese entgehen nämlich, gerade wie die mit übermäßig großen Buchstaben beschriebenen Schilder und Anschläge, leicht der Beobachtung, weil sie gar zu deutlich sind. Aber dies ist ein Punkt, der, wie es scheint, etwas über den Horizont des Präfekten hinausgeht oder vielleicht etwas darunter steht. Er hat es nie für wahrscheinlich oder auch nur für möglich gehalten, daß der Minister den Brief direkt unter jedermanns Nase hingelegt hat, um eben jedermann davon abzuhalten, ihn zu bemerken.

Je mehr ich über den kühnen, wagemutigen und scharfen Verstand D. s nachdachte und über die Tatsache, daß er das Dokument immer bei der Hand haben mußte, wenn es überhaupt seinen Zweck erfüllen sollte – wenn ich mich an den unzweifelhaften Beweis erinnerte, den die Nachforschungen des Präfekten erbracht hatten, daß das Schriftstück innerhalb der Grenzen des gewöhnlichen Forschungsgebietes dieses würdigen Beamten nicht verborgen war, um so mehr überzeugte ich mich davon, daß der Minister zu dem sinnreichen, klugen Mittel gegriffen habe, überhaupt nicht den Versuch zu machen, den Brief zu verstecken. Ganz erfüllt von diesem Gedanken, versah ich mich mit meiner grünen Brille und sprach eines schönen Morgens wie zufällig in der Wohnung D.s vor. Ich traf ihn zu Hause, er gähnte, räkelte sich, vertändelte die Zeit und gab, wie gewöhnlich, vor, sich tödlich zu langweilen. Er ist vielleicht der energischste Mensch, den die Welt jetzt besitzt, doch nur dann, wenn ihn niemand sieht.

Um in ein harmloses Gespräch mit ihm zu kommen, klagte ich über meine schwachen Augen und bejammerte die Notwendigkeit, die grüne Brille tragen zu müssen, unter deren Schutz ich vorsichtig und gründlich im ganzen Zimmer umherspähte, während ich mich anscheinend nur für die Unterhaltung mit meinem Gastgeber interessierte.

Mit ganz besonderer Aufmerksamkeit betrachtete ich den großen Schreibtisch, an dem er saß. Auf diesem lagen verschiedene Briefe und andere Schriften, auch ein oder zwei Musikinstrumente und ein paar Bücher. Doch bemerkte ich nach langer, sorgfältiger Prüfung nichts, was besonderen Argwohn erregt hätte.

Schließlich fielen meine schweifenden Blicke auf einen abgenutzten Kartenhalter von durchbrochenem Pappdeckel, der an einem schmutzigen blauen Bändchen von einem kleinen Messingknopf gerade mitten über dem Kaminsims herabbaumelte. In diesem Kartenhalter, der drei bis vier Abteilungen hatte, lagen fünf oder sechs Visitenkarten und ein einzelner Brief, der ziemlich beschmutzt und zerknittert schien. Er war fast ganz mitten durchgerissen, als habe man zuerst die Absicht gehabt, ihn als wertlos zu zerreißen, und sich erst später anders besonnen. Der Brief hatte ein großes schwarzes Siegel, auf das der Buchstabe D sehr deutlich aufgedrückt war. Er war mit zierlicher Damenhandschrift an den Minister selbst adressiert. Nachlässig, ja, scheinbar fast verächtlich schien er in das oberste Fach des Kartenhalters gesteckt worden zu sein.

Kaum hatte ich diesen Brief erblickt, so wußte ich, es war der gesuchte. Allerdings war sein Äußeres von dem Brief, dessen genaue Beschreibung uns der Präfekt vorgelesen hatte, vollständig verschieden. Hier war das Siegel groß und schwarz und trug den Buchstaben D, dort war es klein und rot und zeigte das Wappen der Herzoglich S.schen Familie. Hier war die Adresse klein, von Damenhand geschrieben und trug den Namen des Ministers, dort war der Brief an eine königliche Person mit großen und entschiedenen Buchstaben adressiert; bloß die Größe des Schriftstückes stimmte überein. Aber gerade diese gänzliche, auffallende Verschiedenheit, der schmutzige, zerrissene und zerknitterte Zustand des Briefes, welcher der Ordnungsliebe D.s so sehr widersprach und den Beschauer nur zu deutlich von der Wertlosigkeit des Gegenstandes überzeugen sollte, alles dies sowie die allen Blicken exponierte Lage des Papiers, die so wohl zu meinen Schlüssen stimmte – alles dies mußte verdächtig erscheinen.

Ich dehnte meinen Besuch so lange wie möglich aus, und während ich den Minister über einen Gegenstand, der ihn, wie ich wußte, stets interessierte und anregte, lebhaft unterhielt, wandte ich in Wirklichkeit mein ganzes Augenmerk auf den Brief. Ich prägte mir sein Aussehen und die Art, wie er im Halter steckte, genau ein und machte zum Schluß noch eine Entdeckung, die mir auch den kleinsten Zweifel, der mir vielleicht noch geblieben war, zerstreute. Als ich die Ränder des Papiers genau betrachtete, bemerkte ich, daß diese fester als nötig zusammengepreßt erschienen. Sie zeigten das gebrochene Aussehen eines steifen Papiers, das schon einmal gefaltet, mit dem Falzbein geglättet und nun in umgekehrter Richtung wieder in die alten Falten gelegt worden ist. Das genügte mir. Es war mir klar, daß man den Brief wie einen Handschuh umgewendet und mit anderer Adresse und anderem Siegel versehen hatte. Ich empfahl mich darauf bei dem Minister und ging, ließ jedoch meine goldene Schnupftabakdose auf dem Tisch stehen.

Am nächsten Morgen besuchte ich den Minister, um meine Dose abzuholen. Wir kamen bald wieder auf unsere Unterhaltung von gestern zurück. Plötzlich jedoch ertönte dicht unter den Fenstern der Ministerwohnung ein Pistolenschuß, dem das wilde Geschrei und die verworrenen Rufe einer erschreckten Volksmenge folgten. D. eilte an ein Fenster, öffnete es und blickte hinaus. Ich schritt schnell auf den Kartenhalter zu, nahm den Brief heraus, steckte ihn in meine Tasche und ersetzte ihn durch einen anderen von demselben Aussehen, den ich zu Hause sorgfältig hergestellt hatte. Die Chiffre D hatte ich leicht durch ein aus Brot geformtes Siegel nachahmen können.

Der Auftritt auf der Straße war durch das tolle Benehmen eines Mannes verursacht worden, der eine Flinte mitten unter einer Menge von Frauen und Kindern abgefeuert hatte. Es stellte sich jedoch heraus, daß die Waffe nicht scharf geladen war, und man ließ den Mann als einen Trunkenbold oder einen Wahnsinnigen laufen. Als er seiner Wege gegangen war, kam D. von dem Fenster zurück, an das ich ihm, gleich nachdem ich den Brief ergriffen hatte, gefolgt war. Bald darauf verabschiedete ich mich von ihm. Der angeblich Wahnsinnige war ein von mir bezahlter Mensch."

„Aber welchen Zweck hatte es", fragte ich, „den Brief durch ein Faksimile zu ersetzen? Wäre es nicht besser gewesen, ihn gleich beim ersten Besuch offen zu ergreifen und mit ihm davonzugehen?"

„D. ist ein Mann", erwiderte Dupin, „dem alles zuzutrauen ist, und außerdem verfügt er jederzeit über Leute, die seinen Befehlen blindlings gehorchen. Hätte ich den verwegenen Schritt getan, zu dem Sie mir da jetzt raten, so hätte ich die Wohnung des Ministers vielleicht nicht lebendig verlassen, und die guten Pariser würden nie wieder etwas von mir gehört haben."

Quellenverzeichnis

Im Rollstuhl nach Bangkok, aus: Wolfgang Ecke, Gauner, Gangster, Geistesblitze. Ravensburger Buchverlag Otto Maier GmbH, Ravensburg 1987. © Angelika Ecke-Roeske.

Agatha Christie, *Ein seltsamer Scherz*, aus: dies., Mörder-Maschen. Bern/München 1982. © deutsche Rechte bei Scherz Verlag Bern und München.

Dorothy L. Sayers, *Das Perlenhalsband*, aus: dies., Der Mann, der Bescheid wußte. Bern/München 1967. © deutsche Rechte bei Scherz Verlag Bern und München.

Oma S., *Der Hinterhalt oder Hamlets Rache*, aus: Wolfgang Ecke, Gauner, Gangster, Geistesblitze. Ravensburger Buchverlag Otto Maier GmbH, Ravensburg 1987. © Angelika Ecke-Roeske.

Edgar Wallace, *Der Club der Vier*, aus: ders., Der unheimliche Mönch. © alle Rechte an der deutschen Übersetzung von Gregor Müller beim Wilhelm Goldmann Verlag GmbH, München.

Sir Arthur Conan Doyle, *Das gefleckte Band*, aus: ders., Sherlock Holmes, Gesamtwerk. © der deutschen Übersetzung bei Verlag Ullstein GmbH, Berlin.

Dorothy L. Sayers, *Gift im Portwein*, aus: dies., Der Mann, der Bescheid wußte. Bern/München 1967. © deutsche Rechte bei Scherz Verlag Bern und München.

Gilbert Keith Chesterton, *Der Salat des Oberst Cray*, aus: ders., Das Paradies der Diebe. Deutsche Übersetzung Joseph Grabisch. © Droemer Knaur Verlag, München.

Sollten, trotz intensiver Nachforschungen des Verlages, Rechteinhaber nicht ermittelt worden sein, so bitten wir diese, sich mit dem Verlag in Verbindung zu setzen.

Die schönsten Geschichten
von rassigen Pferden, unheimlichen Gespenstern,
scharfsinnigen Detektiven und edlen Indianern

Pferdegeschichten
Herausgegeben von Jutta Radel

Gespenstergeschichten
Herausgegeben von Kitty Heeman

Detektivgeschichten
Herausgegeben von Kitty Heeman

Indianergeschichten
Herausgegeben von Barbara Zoschke